MOUNT UNION COLLEGE
LIBRARY

MONROE JUNION COLLEGE
LIBRARY

LA POESÍA EN LA EDAD DE ORO
(RENACIMIENTO)

HISTORIA CRÍTICA
DE LA LITERATURA HISPÁNICA-4

HISTORIA CRÍTICA
DE LA LITERATURA HISPÁNICA

Dirigida por Juan Ignacio Ferreras

TÍTULOS DE LA COLECCIÓN

ANTONIO PRIETO

LA POESÍA
EN LA EDAD DE ORO
(RENACIMIENTO)

Cubierta
de
MANUEL RUIZ ÁNGELES

Este libro ha sido compuesto mediante una Ayuda a la Edición de las Obras que componen el Patrimonio literario y científico español, concedido por el Ministerio de Cultura.

© 1988, Antonio PRIETO
© 1988, ALTEA, TAURUS, ALFAGUARA, S. A.
TAURUS
Juan Bravo, 38 - 28006 MADRID
ISBN: 84-306-2504-6
Depósito legal: M. 20.096-1988
PRINTED IN SPAIN

861.3
P949p

251242

ÍNDICE

ÍNDICE

HISTORIA

HISTORIA

1. INTRODUCCIÓN

La poesía del siglo XVI guarda en su cronología la fecha importante del junio granadino de 1526. Es el momento, confesado por Juan Boscán, en el que nace para España la práctica del endecasílabo a imitación italiana, con lo que una nueva poesía se adueña de la práctica literaria, en competencia con el más *natural* uso del octosílabo de la poesía cancioneril.

Tenemos con ello una poesía en metro castellano y una poesía italianizante que son las dos grandes vertientes líricas en las que se moverá el ámbito hispánico. La competencia entre ellas es relativa porque ambas reconocen un tronco común en la poesía provenzal, de donde emanan, en distinto metro, análogos conceptos amorosos, predilección por usos como la antítesis e incluso formas poéticas como la canción. En principio (y con todo lo que una forma incide sobre unos contenidos), la diferencia fundamental radica en el metro. El metro castellano llega un tanto agotado en su curso cancioneril mientras que el endecasílabo se le ofrece a Boscán pleno de posibilidades y novedad.

Allá en la corte siciliana de Federico II había tenido lugar, y en relación con el debate, la invención del soneto para la lírica europea. Un poco después, con su origen complicado, los españoles reconocían en la *Teseida* de Boccaccio la invención de la octava. Y básicamente con el modelo de Petrarca y por la permeabilidad de Gutierre de Cetina penetra en la lírica española la sextina provenzal descubierta por Arnaut Daniel, y que tenía en el *Cancionero General* de Hernando del Castillo, 1511, el anómalo ejemplo de la sextina, en dodecasílabos, de Trillas y Valdaura, con motivo de la muerte de Isabel la Católica.

En 1526 tiene lugar en Granada, que festeja las bodas del Emperador, el encuentro del poeta de cancionero Boscán con Andrea Navagero. Es un encuentro decisivo del que nos da cuenta el poeta catalán en su carta «A la Duquesa de Soma» que separa el libro I del II de sus *Poesías*. Si la poesía cancioneril había tenido su manifiesto en el «Prologus Baenenssis» que abre el *Cancionero de Baena,* las páginas de Boscán «A la Duquesa de Soma» son un manifiesto de la nueva poesía renacentista. Entregado ya a esta práctica de la poesía petrarquista, Boscán le señala a la Duquesa sobre sus detractores:

Si a éstos mis obras les parecieran duras y tuvieran soledad de la multitud de los consonantes, ahí tienen un cancionero que acordó de llamarse general para que todos ellos bivan y descansen con él generalmente. Y si quieren chistes también los hallarán a poca costa.

Está claro el sentido despectivo de Boscán hacia un *Cancionero General* en el que él mismo había participado en su edición de 1514 y que con el tiempo sería alabado por Lope de Vega. Efectivamente, con Boscán habrá un rompimiento con la poesía cancioneril ante esa nueva poesía que le propone Navagero en endecasílabos, entregándose a su práctica con el estímulo de su amigo Garcilaso. Es un rompimiento, lógico en unos principios, que después se salvará en la mayoría de los poetas renacentistas con la alternancia de las coplas castellanas con el metro italiano.

El manifiesto de Boscán es bastante explícito, pero cabe suponer en él un mayor contenido atendiendo a la personalidad de Navagero («... varón tan celebrado en nuestros días...») y al ejercicio poético que realiza Boscán en su libro II. Por lo pronto, Navagero es un humanista vinculado al grupo aldino que asiste al editor Aldo Manuzio y en el que destacaba con sus interpretaciones petrarquistas la personalidad de Pietro Bembo. Para Bembo, escuchado por Navagero, el gran modelo lírico era Petrarca, cuya grandeza antepone a la poesía de Dante. Parece lógico pensar que hay un eco de Bembo, a través de Navagero, cuando Boscán escribe a la Duquesa de Soma:

Petrarca fue el primero que en aquella provincia le acabó de poner en su punto [el verso italiano], y en éste se ha quedado y quedará, creo yo, para siempre. Dante fue más atrás, el cual usó muy bien d'él, pero diferentemente de Petrarca.

La misma defensa de Boscán sobre la recepción femenina («Tengo yo a las mujeres por tan sustanciales...») tiene un sentido renacentista de rescoldo bembiano, como lo tiene la afirmación de poder seguir el camino del endecasílabo desde su origen. Pero, sobre todo, Bembo era el editor de la poesía petrarquesca siguiendo el orden de cancionero establecido por Petrarca en su definitivo códice. Esta edición realizada en 1501 por el editor Aldo Manuzio, o la realizada en 1514, eran ediciones de bolsillo llegadas a Granada, donde, distintamente al Petrarca leído por el Marqués de Santillana, podía apreciarse el sentido narrativo, de historia, que tenían las *rimas* de Petrarca. Este valor de narratividad, que mostrará Boscán en su libro II, nos parece algo fundamental para abordar la lectura de una importante parcela de nuestra poesía renacentista.

2. Boscán

En el principio, como digo, está Boscán, quien como cortesano atiende a la poesía cancioneril y en lo que ésta era parte de la educación de un caballero. Boscán, con mayor o menor acierto personal, está cumpliendo con su poesía cancioneril los consejos que para el galán daba Hernando de

Ludueña en su *Doctrinal de gentileza* o expresaba el poeta
Suero de Rivera:

> Capelo, galochas, guantes
> el galán deve traer,
> bien cantar y componer
> por coplas e consonantes...

Es la poesía, por coplas y consonantes, que Boscán ordena y recoge en el libro I de sus *Obras,* editadas por Carles
Amorós en marzo de 1543, poco después de la muerte del
poeta. Repasar esta poesía amorosa, contra la que se manifestará Castillejo, es repasar un cauce cancioneril transitado,
en vías de agotamiento, aunque sobre él asome la extraordinaria figura de Ausias March. Son las consabidas apelacio-
nes a la tristeza; la persecución por la agudeza, el conceptismo y el juego de palabras de recorridos cancioneriles que
se unen a la herencia provenzal y de Ausias, presentando al
amor como vasallaje feudal y gustando de expresiones som-
brías o de una espiritualidad que desvelaba los secretos del
amor y distinguía entre amor honesto y deleitable. Boscán
no era dueño de su poesía, sino que una tradición poética lo
poseía en cuanto ejercicio cortesano.

El libro II de las *Obras* exterioriza ya una inquietud poética en la que Boscán desea manifestarse bajo el estímulo
principal de Petrarca. Estamos en el comienzo de la aclimatación de la poesía petrarquesca y es natural que composiciones como «Gentil Señora mía» o «Solo y penoso en
páramos desiertos» remitan inmediatamente al verso de Petrarca, o que sonetos como «Ponme en la vida más brava,
importuna», traduzcan el soneto petrarquesco «Ponmi ove
il sole occide i fiori et l'erba», en el que tanto se medirán
los poetas renacentistas.

Un sistema para aclimatarse al poeta clásico era tradu-
cirlo, identificándose con él y personalizándolo. Si tal ejercicio lo prodigaron los renacentistas para el latín de Horacio
o Virgilio no era nada extraño que, en parte, lo practicara
Boscán para el endecasílabo petrarquesco. No obstante, lo

más interesante ahora es precisar cómo Boscán capta en el *Canzoniere* petrarquesco su valor narrativo y lo conduce a la sucesión poética de su libro II.

Efectivamente, y como recogió Armisen (1982: 385), «los lectores más cultos debieron comprender pronto que el libro II era un *canzoniere* a la manera de Petrarca». Desde la alternancia métrica de sonetos y canciones que va extendiendo el poeta catalán, su libro refleja un deseo de continuar la huella del *Canzoniere* en lo que éste era una historia personal, narración lírica, cuyos *fragmenta* podían servir de ejemplo de conducta.

En el inicio del soneto-prólogo del *Canzoniere* comienza Boscán a trazar su argumento amoroso, con pretensión de historia. Se trata de unos primeros sonetos proemiales donde se advierte ya la búsqueda de narratividad del poeta catalán, no ya porque los sonetos primeros funcionen con valor de enunciado de un argumento, sino por la continuidad narrativa que manifiestan sonetos como «Las llagas, que d'amor son invisibles» y «Mas mientras más yo d'esto un corriera», que pueden leerse como endecasílabos pertenecientes a una misma composición (como si el soneto tuviera la narratividad y secuencialidad de la octava en un poema).

Acorde con la alternancia de formas métricas que enseñaba el *Canzoniere* acude Boscán, más limitadamente, al sucederse alternado de sonetos y canciones como *vario stilo* que rompiera una monotonía métrica y reflejara estados distintos de un camino guiado por Amor. Naturalmente que la distancia entre el *Canzoniere* petrarquesco y el libro de Boscán es enorme en cuanto historia lírica. Esencialmente porque la tensión amorosa petrarquesca que anima el *Canzoniere*, y se confiesa en el *Secretum*, en Boscán no existe, y lo que anima su libro es una curiosidad poética conducida por la imitación.

Gran parte del libro II de Boscán se mueve así por un cauce que traduce al endecasílabo presidido por Petrarca el juego cortesano que había ensayado en la poesía cancioneril, con la común ascendencia de Ausias March. Y es significativo que en la curiosidad de estas composiciones de Boscán aparezca la canción «Claros y frescos ríos», que imita la petrarquesca canción «Chiare, fresche e dolci acque», uno de los modelos de *dolcezza* poética propuestos por Bembo en sus *Prose*. La canción de Boscán es un claro ejemplo del cambio cortesano de la poesía cancioneril a la poesía italianizante, sobre la que ya pesaba en su arte una contaminación filosófica (Cavalcanti) y del mundo clásico.

Pero estos sonetos y canciones del poeta catalán, ya muy avanzado el libro II, sufren un cambio que personaliza su poesía. Se manifiesta en el soneto «Otro tiempo lloré y agora canto», que en el segundo cuarteto anuncia:

> Agora empieça Amor un nuevo canto,
> llevando assí sus puntos concertados...

Ese «nuevo canto» supone pasar de una poesía escuchada fundamentalmente en el canto petrarquesco a una poesía escuchada en sí misma. Se pasa, en gran medida, de la curiosidad poética a la experiencia lírica que el poeta goza con el encuentro de su mujer. La poesía se torna doméstica, ajena a la tensión petrarquesca o garcilasiana. Boscán siente este cambio y *sabe* por su curiosidad humanista cuánto la tensión amorosa era la generadora, con su lucha interior y ansiedad, de la palabra poética. Por ello, adquiriendo la *sinceridad* para el endecasílabo, cierra el citado soneto:

> ¡Oh concierto d'Amor grande y gozoso!,
> sino que de contento no terné
> qué cante, ni qué scriva, ni qué hable.

Allá en el principio de esta poesía petrarquista, en la lírica provenzal, para favorecer la tensión amorosa necesitando la palabra, se había extendido la norma de que el poeta debía enamorarse de una mujer casada (y es algo que experimentan Petrarca o Garcilaso). Boscán, con su gozo matrimonial, se sabe sin esta tensión, y su libro II, en cuanto cancionero, cambia de dirección. Porque también sabe que un cancionero, en la norma petrarquista, es una historia *(ro-*

manzo) de amor dependiente, como proyección lírica, de la personalidad o experiencia del poeta. Ya la experiencia o sentimiento de Boscán es muy distinta de Petrarca (como sucede con Garcilaso), y en la seguridad de *su* historia escribe poco más adelante «que, doquiera que estoy, es primavera» en oposición *sincera* al petrarquesco «Zefiro torna 'l bel tempo rimena». Dentro del petrarquismo, de la captación de la narratividad lírica, Boscán crea *su* cancionero, cerrado en la beatitud de una canción final que *olvidó* el ofrecimiento como *exemplum* de los sonetos primeros.

El libro III de las *Obras,* aunque puede relacionarse líricamente con el anterior, es algo ajeno argumentalmente al cancionero, y quizás estructurado en la lectura de comentaristas como Vellutello, que, contra la voluntad de Petrarca, dividieron el *Canzoniere* petrarquesco en tres partes, incluyendo en la última las composiciones que creía ajenas al *romanzo d'amore.*

Evidentemente, el largo y no muy afortunado poema «Leandro», que abre el libro III, es un texto ajeno a la historia o cancionero del libro anterior, aunque existen versos de relación garcilasiana como «quel suele'l ruyseñor, entre las sombras», por una común ascendencia clásica; u Orfeo, con «su lengua fría», llama a Eurídice, análogamente a como evoca Garcilaso en la égloga III. Muy posiblemente, la extensa fábula de «Leandro» sea un poema de la postrer etapa de Boscán en el que éste manifiesta sus intereses renacentistas en dos aspectos: el manejo de unos modelos grecolatinos distintos, con los que componer algo nuevo, y la atención por conciliar paganismo y cristianismo, que fue una constante renacentista desde Petrarca.

Es algo significativo que Boscán se acoja en «Leandro» a una historia que Petrarca no atiende en su *Canzoniere* y apenas cuida («Leandro in mare ed Ero alla fenestra») en los *Trionfi.* Pero, no obstante, es también petrarquista al acoger este argumento que se hará largo asunto en el que competirán Garcilaso, Juan Coloma, Montemayor, Acuña, Ramírez Pagán, Herrera... y al que no dejará de acudir Lope de Vega con su «Por ver si queda en su furor deshecho». Ya el hecho de situarse en esta cadena poética significa en Boscán la aceptación renacentista de sentirse en una tradición culta por la que una obra puede continuar una argumentación anterior y ofrecerse para ser continuada, como explican el *Orlando* de Ariosto respecto al *Orlando* de Boiardo o las *Dianas*.

Pero es que, aparte de la atención a un mito tan acogido renacentistamente como el de Orfeo, el «Leandro» de Boscán respondía a la actualidad de un tema despertado por la edición (hacia 1497) realizada por Aldo Manuzio del *opusculum* de Ero y Leandro escrito por Museo. El poema de Museo (que también sirvió para que el cretense Demetrio Ducas inaugurara su imprenta de Alcalá de Henares) tenía su vigencia porque se creía que Museo era el poeta tracio y mítico que formó en los albores de la literatura griega, y no el gramático del siglo v que era en realidad. Así, con esta confusión, Aldo Manuzio podía señalar la deuda con Museo que tenía Ovidio en las cartas que se cruzan Ero y Leandro en las *Heroidas*. Y se podía apreciar, con sus deudas, la novedad que aporta Ovidio mediante la mezcla genérica, mediante el llevar al género epistolar personajes que pertenecían al género épico o teatral. Con la actualidad del poema de Museo acudía Boscán a la mezcla de elementos predicada por el renacimiento y construía su «Leandro» en este ayuntamiento sobre el que pende la *Favola di Leandro* de Bernardo Tasso y el episodio virgiliano de Aristeo, Orfeo y Eurídice de las *Geórgicas*.

Aunque esté lejos de ser un gran poema es indudable que, en el principio de nuestra poesía renacentista, el «Leandro» de Boscán tiene unos valores de captación importantes que sitúan al poeta en el extremo opuesto de aquella su práctica cancioneril. Está abriendo camino, como lo hace en su epístola-respuesta a una de Hurtado de Mendoza y que son las primeras epístolas en tercetos encadenados que ofrece la lírica española. Con la particularidad de que la epístola de Boscán, acogida a la familiaridad, contiene precisos aciertos que se afirman en su sincera expresión de una vida tranquila acompañada de libros y familia, donde se confirma la sinceridad de aquel «agora empieça Amor un nuevo canto» que veíamos modificando *su* cancionero.

Finalmente Boscán cierra sus *Obras* con un poema que tiene por título «Octava rima», queriéndose enfatizar en él la importancia de la octava y su incorporación a la poesía española. Es un largo poema que, al igual que el «Leandro», muestra la madura situación renacentista de Boscán. Desde antiguo se ha señalado la dependencia del poema de las *Stanze* de Bembo y las de Poliziano, recogiendo pasajes como el policianesco palacio de Chipre. Quizás en el uso reiterativo de Amor como guía pudiera recordarse el *Ninfale fiesolano* de Boccaccio con su apelación anafórica del Amor. Boscán nuevamente mezcla, y atinadamente, en este poema de invitación al amor, donde se le aprecia como impulsor de la creación poética y donde en el aire gozoso de corte renacentista se advierte a las damas:

> No amando, estáys en noche tenebrosa,
> y no esperéys jamás que os amanezca
> hasta que os venga una ora tan dichosa
> que por Amor deleyte se os offrezca…

Boscán introduce la renacentista octava en la poesía española y lo hace plenamente en su valor lírico, en el *encanto* que había adquirido la gran belleza de las *Stanze* de Poliziano. Otros caminos de la octava los encontramos ya con Hurtado de Mendoza, pero la «Octava rima» de Boscán, con su cita de poetas sucediéndose como cultura, puede entenderse como la culminación de una *idea* poética renacentista que ascendió positivamente, dejando en medio un cancionero, como historia, que nacido petrarquista abandonó su cauce traductor ante la propia vida del poeta.

La poesía de Boscán se muestra, y en su misma trayectoria, como una conveniente oposición a la poesía cancioneril que llega cansada a su tiempo. Consciente Boscán de la novedad que aporta con su introducción métrica, titulará sus poemas atendiendo a la forma y no a unos contenidos argumentales o personajes. Titulará «Capítulo» el *capitolo* italiano en tercetos, «Epístola» y «Octava rima». La oposición de Castillejo es, dentro de su vinculación renacentista, una oposición que se mueve en otro sentido, aunque coincida con Boscán en declarar el agotamiento de la poesía amorosa cancioneril.

3. GARCILASO

Con la receptibilidad renacentista que manifiesta la poesía de Boscán yo dudo que la poesía garcilasiana recogida en el libro IV de sus *Obras* sea una poesía ordenada por el poeta catalán, aunque el título de «algunas» referido a la lírica garcilasiana (y que retomará Herrera) parezca liberar de ciertos compromisos editores. (Con *Algunas poesías*, Herrera nos ofrecerá, desde el soneto-prólogo, un esbozo de cancionero.) Creo así que la intervención de Boscán en la ordenación editora de la poesía garcilasiana fue mínima y que sobre ésta pesará, como autoridad, la ordenación métrica fijada básicamente por Herrera en la edición de sus *Anotaciones.*

El sentido de narratividad para una lírica, la alternancia de formas métricas, un sujeto femenino único dando razón a los *fragmenta* de una historia, la introducción de poemas *civiles* que fijen la personalidad del poeta como realidad, etc., son importantes aspectos (como la armonía de *gravitá* y *piacevolezza*) que le llegaban a Garcilaso con el modelo petrarquesco, especialmente extendido por Bembo. En análoga medida, y por lo que en Garcilaso hay de humanista, su poesía recoge un concepto de imitación y *satura* (mezcla) renacentistas por el que caminan no ya sus cultismos poéticos, sino su asimilada lectura de Horacio, Virgilio, Ausias March, Sannazaro, Ariosto, etc., para *formar* una nueva poesía.

Si la huella del *Canzoniere* anima poderosamente la lírica garcilasiana, determinando su petrarquismo, es también indudable que su distinta formación (imitación) poética le dan otra dimensión y una seguridad que determinará una lengua poética que pueda heredarse, como bien entenderá Herrera. Sobre ello, decidiendo argumentalmente, está el sentimiento garcilasiano, *su* historia necesitando existirse en *su* palabra, que no es naturalmente la petrarquesca. Aunque pueda esgrimirse que frente a la longevidad de Petrarca a Garcilaso le llega la muerte muy tempranamente, con lo que ello impide el ir y volver sobre la propia poesía, la lírica garcilasiana ofrece en principio, como *historia,* una clara distinción respecto al *Canzoniere*: en Garcilaso no existe un soneto-prólogo en el que se ofrezca como *exemplum,* cargando al Amor de responsabilidades, y menos existe una canción final de culminación religiosa, como en Petrarca, sino la creación por la palabra de un espacio mítico donde habitar con la amada.

Esta distinción recién apuntada se percibe nítidamente si la lectura de la poesía garcilasiana la hacemos acorde con un proceso secuencial que progrese argumentalmente, alternando formas métricas, y no heredando el orden de agrupaciones métricas fijado por Herrera y más o menos seguido editorialmente. Por ejemplo, la canción I, que suele editarse tras el conjunto de sonetos (no así en la *editio princeps* o en la del Brocense), no atendiendo ni a un orden cronológico de composiciones (lo cual importa poco en un cancionero, como señala Petrarca) ni, lo que es grave, a un orden de *historia.* Es decir, que en la edición ya *deformada* de Luis Brizeño de Córdoba de 1626, por ejemplo, leemos la canción, claramente dirigida a la amada *in vita,* tras haber leído un conjunto de sonetos *in morte* de la amada, lo cual atenta contra la secuencialidad de la *historia* y contra el propio formarse *(estilo)* del poeta en su progreso.

La canción I, en su primera estrofa, es posiblemente el primer gran ejemplo de la *propiedad* del cancionero garcilasiano respecto al *Canzoniere* petrarquesco, porque en ella (véase el comentario final) se advierte perfectamente cómo la individualidad de Garcilaso habita en una tradición, modificando con *su* historia el estímulo del soneto petrarquesco «Ponmi ove 'l sole occide i fiori e l'erba». Al tiempo anuncia una acción en busca de la amada que incluso sintagmáticamente progresará por el cancionero, al igual que progresan elementos de fusión cultural como el mito de Orfeo.

Un cancionero (en el sentido petrarquista, muy distinto del cancioneril) comienza, tras el soneto-prólogo, cuando tiene lugar el encuentro con la amada, de acuerdo con la linealidad de una *historia*, que exige su principio y no el comienzo *in media res* que extendía la *ficción* más o menos novelesca. Este orden lo mantenía, por ejemplo, la muy petrarquista Gaspara Stampa en sus *Rime d'amore*, compartiendo la cronología de Garcilaso, y podrá observarse en la poesía de Hernando de Acuña o en *Algunas poesías* de Herrera. En la tradición textual garcilasiana suele situarse como soneto inicial el «Cuando me paro a contemplar mi estado». Pero, evidentemente, y como señalé, éste no es un soneto de funcionalidad proemial.

Un seguidor garcilasiano y petrarquista como Hernando de Acuña lo explica en su propia poesía. Acuña, que alcanza con irregularidades la extensión de un cancionero, escribe un soneto, «Huir procuro al encarecimiento», que cumple la funcionalidad de prólogo, ofreciéndose el poeta como sujeto de la historia y *exemplum*: «a muchos pondrá aviso y escarmiento», «apartarse de seguir el error de mis pisadas», etcétera. En ninguna composición de Garcilaso existe este ofrecerse como materia o argumento ejemplares, que sí vimos en Boscán. Más adelante sitúa Acuña el soneto «Cuando contemplo el triste estado mío», que sigue claramente el «Cuando me paro...» garcilasiano. Si Acuña ya tiene ocupada la funcionalidad del soneto-prólogo con su «Huir procuro...», quiere decirse que lee perfectamente, y sigue, el «Cuando me paro...» garcilasiano fuera de todo sentido proemial. Esto es, el «Cuando me paro...» de Garcilaso y el soneto de Acuña, que nace en su huella, pertenecen a un momento avanzado de la *historia*, cuando una especial circunstancia vital le hacen «contemplar» al poeta el curso pasado y vislumbrar su futuro. Andando el tiempo, y en prosa narrativa, Critilo y Andremio han peregrinado toda una primera parte por las páginas de *El Criticón* de Gracián y es entonces, en II, 1, cuando escribe Gracián de sus personajes: «pusiéronse a contemplar lo que habían caminado hasta hoy...». Es la misma detención, cuando ya se ha caminado un trecho expresado en palabra, que manifiesta el soneto de Garcilaso.

Desprovisto de soneto-prólogo, el cancionero garcilasiano se inicia, en cuanto historia personal, con aquella composición que señala el encuentro con la amada y que muy bien puede ser el soneto «Escrito está en mi alma vuestro gesto», incluso por sus imágenes cancioneriles y el saber o teoría que manifiesta. Creo que nace ahí poéticamente, en el «por vos nací, por vos tengo la vida» dirigido a la amada, un curso de historia amorosa, con alternancia métrica, que culmina en el reconocimiento de «la voz a ti debida» de la égloga III.

Tendríamos entonces un grupo de sonetos, relacionados en su saber con la ascendencia cancioneril, que pertenecerían a la teoría del enamoramiento, análogamente a como en Petrarca es muy marcado la teoría provenzal en un primer núcleo de composiciones. Dentro de este comienzo me parece que hay que situar el soneto «De aquella vista pura y excelente», que no pertenecería a la madurez del poeta, sino a su práctica en una teoría sumamente conocida. El soneto garcilasiano tiene, evidentemente, un valor teórico del amor que arranca del soneto de Cavalcanti «Deh, spiriti miei...», donde por primera vez la poesía toma este término, *spiriti,* de la doctrina filosófica.

La influencia de Cavalcanti sobre el estilnovismo es grande y sus *spirti* inmediatamente los hallamos en la famosa canción «Donne ch'avete...» de la *Vita nuova* de Dante y en un amplio correr que recogerá Castiglione en *El cortesano.* El mismo Herrera, para explicar el endecasílabo garcilasiano «*espíritus* vivos y encendidos», acude a los «accesi *spirti* vostri...» del petrarquista Jacopo Marmitta, nacido en 1504. El soneto garcilasiano «De aquella vista...», lejos de una madura personalidad, aparece así rodeado de ejemplos que abundan en la teoría despertada por Cavalcanti, lo que permite situarlo en ese comienzo alimentado más que en la experiencia personal en la teoría del enamoramiento. Mucho más adelante, cuando el más personal sentimiento guíe, encontramos en la canción «El aspereza de mis males quiero» que la estrofa iniciada con «Los ojos cuya lumbre...» es una estrofa que admirablemente personaliza y transforma por el sentimiento el contenido sentimental, teórico, del soneto «De aquella vista...».

Realizar una lectura *in ordine* de la poesía garcilasiana supone no distanciar, por fríos motivos métricos, composiciones que pertenecen a un común sentimiento y se complementan como situación argumental en el progreso del cancionero. Es el caso del soneto «Un rato se levanta mi esperanza» y de la famosa canción «Con un manso ruido...», pertenecientes ambos al destierro o prisión del poeta en una isla del Danubio. Ambas composiciones tienen el mismo ritmo poético proporcionado por la ida de una meditación (contemplación del estado) a una acción de rebeldía estimulada en el recuerdo de la amada y que explican el carácter garcilasiano.

Dentro de la acción marcada en los tercetos del soneto recién citado, encontramos que el poeta le señala a la amada:

> muerte, prisión no pueden, ni embarazos
> quitarme de ir a veros como quiera,
> desnudo espíritu o hombre en carne y hueso.

Creo que no es difícil advertir aquí cómo se acentúa soberbiamente, y se cumple secuencialmente, aquel «allá os iría a buscar como perdido» que le prometía a la amada en la canción I. Ello, me parece, hace incongruente editar primero el soneto y después la canción, cuando su orden argumental es inverso. Y aun ese «ir a veros» señalado apunta como paso hacia la posterior égloga I, cuando Nemoroso en la representatividad narrativa de la égloga, le pide a la amada que lo lleve consigo para buscar un espacio,

> donde descanse y siempre pueda verte
> ante los ojos míos,
> sin miedo y sobresalto de perderte.

La amada («divina Elisa») está ya muerta y el ir a ella del poeta tiene que contar con su participación, pero la vo-

luntad de ir, «desnudo espirtu», pertenece a la intensificación secuencial en la que Garcilaso acude a la fusión mítica
(como Petrarca en Apolo) hasta crear (y creer) el espacio
donde estar con la amada. Un poco más, y en la sucesión
de la égloga III Garcilaso irá más allá de la fusión mítica
para crear la automitificación de la amada y él en la esperanza y fe de la vida perenne de la palabra poética como
existencia.

Fundamentalmente, la lírica garcilasiana se contiene en
esta poesía cuyo sentido se acrecienta leyéndola como cancionero, como *historia* que tiene su referencia real en una
hermosa dama portuguesa, Isabel Freyre, que acompañó los
pasos de la emperatriz Isabel de Portugal y después casó,
traicionando al poeta, con un hombre, Antonio de Fonseca,
«que en su vida hizo copla», que no sabía dar testimonio
de su presencia. En la representación del poeta en el Salicio
de la égloga I, éste se dirige expresivamente a la amada que
lo traicionó:

> Tu dulce habla ¿en cuya oreja suena?
> Tus claros ojos, ¿a quién los volviste?
> ¿Por quien tan sin respeto me trocaste?
> Tu quebrantada fe, ¿do la pusiste?
> ¿Cual es el cuello que como en cadena
> de tus hermosos brazos añudaste?
> No hay corazón que baste
> aunque fuese de piedra
> viendo mi amada hiedra
> de mí arrancada, en otro muro asida,
> y mi parra en otro olmo entretejida,
> que no s'esté con llanto deshaciendo
> hasta acabar la vida.

La égloga, muy probablemente, se escribió en 1534, es
decir, cuando Isabel Freyre había muerto. Pertenece, por
tanto, a los poemas *in morte* de la amada, en los que el poeta continúa comunicándose con ella. Recordemos, sobre una
cronología real que ata eruditamente las composiciones, que
uno de los sonetos últimos escritos por Petrarca es «L'aura

— 25 —

gentil…», escrito cuando Laura llevaba muchos años muerta. En el folio 76, *vuelto,* de la edición aldina de 1501 citada, el lector se encontraba «Laura gentil…», al que seguirán «Di di in di…», «Laura serena…», «Laura celeste…», todos ellos pertenecientes al tiempo *in vita* de Laura del *Canzoniere.* Esgrimir el tiempo de creación u orden cronológico real no es muy válido para pensar la égloga garcilasiana como composición perteneciente a dos tiempos de redacción garcilasiana: uno, al de Salicio, cuando Isabel estaba viva, y otro, el de Nemoroso, ya muerta Isabel.

El texto de Garcilaso tiene una perfecta unidad que se aprovecha de la narratividad de la égloga, en su evolución respecto a la bucólica clásica, y donde el poeta se proyecta en personajes que lo representan en tiempos distintos, en los que la muerte es diversamente solicitada: como liberación del padecer por Salicio, como ida al encuentro con la amada por Nemoroso. La égloga une así, por el poeta, el tiempo *in vita* de Isabel y el tiempo *in morte,* y se coloca en el cancionero con un valor de secuencialidad clave.

Esencialmente, la poesía garcilasiana se mueve en la tensión amorosa del poeta, en cuanto proceso interior que necesita existir en la palabra poética. Es un proceso donde la palabra, nacida de la amada, cubre su curso retornando a ella, origen y fin del círculo, como en recogido neoplatonismo indicaba León Hebreo: «… el amor termina en el amado, el cual fue su principio generador, así que el amado es primera causa agente formal y final del amor…» La necesidad de Garcilaso de llevar su palabra a la amada («¿Adónde iré si a vos no voy con ella?») guía su conducta hasta la creación del espacio mítico.

Unas páginas antes de las citadas, León Hebreo, por boca de Filón, había tomado del *Banquete* platónico la definición del amor como deseo de algo, y previamente, con el discurrir filial de amor y deseo, Sofía le había distinguido a Filón que pretendía de él la teoría del amor, mientras que Filón deseaba de ella la práctica amorosa. Quiero decir (y para próximas páginas que podían recordar la admonición agustiniana al Petrarca del *Secretum,* deseando el cuerpo de Laura) que el platonismo frecuentemente predicado para la lírica renacentista es muchas veces una forma que se conduce como metáfora de la realidad. En Garcilaso, por ejemplo, encontramos el soneto «Con ansia estrema de mirar...», que cumple ante la belleza física de la amada el platónico deseo de gozar la hermosura, hasta el punto de que Herrera anota: «El argumento de este soneto es caso particular y por eso difícil de inteligencia. Parece que yendo a ver a su Señora, que tenía descubiertos los pechos, puso los ojos en ellos, alargándose en la consideración de la belleza de la alma, aunque el duro encuentro de la hermosura corporal impidió su intento y...»

Por supuesto que este soneto, como la petición de amor a Violante Sansoverino para que complazca a Galeota, son composiciones que pertenecen plenamente al cancionero garcilasiano, a su curso de alternancias. Puede quedar fuera, por su extensión y autonomía, la égloga II, pero no composiciones que contribuyen a definir al poeta que ama, como el soneto, en función de epitafio, «No las francesas armas odiosas», dedicada a su hermano, muerto en 1528 en el sitio de Nápoles. O esos cuatro espléndidos sonetos («Hermosas ninfas...», «En tanto que de rosa...», «A Dafne ya los brazos...» y «Pasando el mar Leandro...»), plenos de belleza clásica, donde la personalidad garcilasiana se muestra identificada con las recreaciones míticas propias del paisaje humanístico sostenido por Pontano o continúa la exaltación del «Collige, virgo...» o, con «Pasando el mar...», atiende el tan renacentista ejercicio de convertir en sonetos el epigrama latino.

Si con Boscán estábamos en los principios de una ejemplar aclimatación de la nueva poesía, con su amigo Garcilaso hallamos la evocación de un mundo lírico y de una lengua poética a cuyo paso caminará largamente la poesía española. Era una lengua personal (*su* cancionero) y que como arte podía heredarse, con lo que los poetas españoles encontraron una lengua garcilasiana que unir a la petrarquista para dar uno de los más bellos sentidos al siglo XVI.

4. Hurtado de Mendoza

La extensa e inquieta vida del granadino Diego Hurtado de Mendoza le permitió una andadura humanística y un vivir la evolución y deserción del petrarquismo que se manifiesta en la gran apertura que representa su ejercicio poético. En parte, la novedad formal y argumental de Mendoza, tras la fijación garcilasiana, pudo producirse no ya por su contacto con antipetrarquistas como Berni o Aretino, sino por su formación humanista, que le *autorizaba* unos «atrevimientos» poéticos, al igual que la condición humanista de Poggio Bracciolini le autorizó la composición de su *Liber facetiarum,* tan desagradable a Erasmo.

Aunque en Mendoza exista una primera etapa entregado a la poesía tradicional, a la redondilla de que nos habla Boscán, el núcleo fundamental de su poética se desarrolla en Venecia, en el «paradiso terrestre», donde transcurre su más feliz etapa diplomática de embajador. En Venecia, Mendoza halla devociones petrarquistas como la que animará a Gaspara Stampa a extender sus *Rime d'amor,* pero encuentra también cómo el petrarquismo está disolviéndose en recepciones cortesanas que cantan *rime* de Petrarca o madrigales petrarquistas al tiempo que traba amistad con autores como Pietro Aretino que mantienen una posición de realismo antiplatónico y antipetrarquesco. Uno de estos autores, Lodovico Domenichi, realiza una importante antología titulada *Rime diverse,* que dedica elogiosamente a Mendoza, y que, en sus diversas ediciones, será buen punto para medir trayectorias poéticas como la de Gutierre de Cetina. Las *Rime diverse,* amparadas en la guía del petrarquismo dada por Pietro Bembo, del que se recoge una abundante muestra, es una antología petrarquista por la que corren motivos del *Canzoniere* y exteriorizaciones musicales, pero donde también aparecen autores dedicados a un realismo y humor que invierten la metáfora y la hipérbole petrarquescas, como el mismo Aretino que cierra la antología con unos largos tercetos encadenados dirigidos al Emperador Carlos V, quien ya con la ayuda de Mendoza lo tenía comprado para su elogio y contra Francisco I de Francia.

Mendoza se sitúa así en Venecia en una plena actualidad poética que sabe atrapar con su humanismo y que ofrece en una variedad poética propia que implica una extraordinaria apertura para los caminos que llevará nuestra poesía hasta la centuria de Lope de Vega y de Quevedo. Porque no sólo se vencerá a la lírica petrarquista o a la realista, según su humor, sino que buscará una innovación formal y acudirá a la mezcla de volcar argumentos burlescos en formas aúlicas, y viceversa, con lo que agrandará la flexibilidad poética en la que un Baltasar de Alcázar escribirá su humorística sextina provenzal.

Dentro de esta variedad poética, Mendoza tiene un conjunto de poesías en las que, directamente o vestido con el nombre de Damón, se dirige a una dama concreta: doña Marina de Aragón, que aparece también con el nombre de Marfira en correspondencia con Damón. En este curso amoroso compuso su más extenso poema, en octavas mitológicas, titulado «Fábula de Adonis, Hipomenes y Atalanta», que me parece escrito hacia 1547, con anterioridad a su etapa romana de fuertes disputas con el papado. Las composiciones a doña Marina y a Marfira constituyen un conjunto lírico que tienen secuencialidad de cancionero petrarquista, si bien no muy meditado, y que se cierra con la elegía dedicada a la muerte de doña Marina, poema predilecto de Mendoza. Esta elegía, que podría iniciar una serie de poemas *in morte* de la amada, resulta una real despedida de la amada, como sujeto poético, y un abandono de la narratividad petrarquesca para dedicarse a otros argumentos. Como es lógico, esta lírica traduce en algún caso el verso de Petrarca, sigue en otros el de Garcilaso y nos manifiesta al Mendoza que más voluntariamente quiere competir en el cauce petrarquista, como exterioriza el soneto «Ora en la dulce ciencia embebecido», conduciendo su amor fuera del *libro* cancioneril, como en las señas de él que da en la «Epístola» dedicada a Boscán.

Alternando con su lírica amorosa, necesitada del cultivo o lima que su autor no le concedió, aparece una producción en metro castellano de notable ingenio y que, en gran parte, Mendoza ejecutó renacentistamente en cuanto recuperación de un pasado poético. Elemento importante para renovar la poesía tradicional fue evacuar en ella argumentos o temas habitualmente contenidos en la poesía italianizante, con lo que estamos en esa mezcla o *satura* renacentista ya citada.

Mendoza fue, tras Boscán, el segundo en emplear el terceto encadenado en la poesía española; se apartó de la rima petrarquesca de los sonetos para establecer otras combinaciones; cultivó como iniciación la sátira clásica en castellano; hizo convivir metro italiano y castellano, y especialmente supo asimilar los diversos caminos del soneto y la octava para ofrecerlos ejemplarmente al discurrir de la poesía española.

La octava lírica, empleada por Garcilaso en su final égloga y por Boscán, la juega Mendoza en la «Fábula de Adonis...» mencionada, pero, junto a ello, y ya en el tono burlesco señalado, escribe su excelente «Fábula del cangrejo», plena de acción bernesca. En uno y otro caso, Mendoza cursa por el valor narrativo de la octava, adecuada por su fácil encadenamiento para el poema extenso, tanto lírico como épico. Con esta práctica suma el de la «octava aislada», ya en argumento serio: «Hermosa Dafne, tú que convertida»; ya en jocoso: «Empreñóse Ginebra la mañana». Es decir, lo mismo que se acerca el soneto a la herencia del epigrama latino, Mendoza aproxima la octava aislada, que emplea también con el sentido de epitafio.

En lo que Francesco Berni parodia al soneto de Petrarca y Bembo, acudiendo a la hipérbole cómica, Mendoza recurre al soneto, como en el famoso «Tenéis, Señora Aldonza, tres treinta años», si es que es de Mendoza (como indica el Ms. de París) y no de Mal Lara, en cuya *Filosofía vulgar* se muestra impreso. Si es de Mendoza, tenemos aquí un excelente ejemplo de su cultivo del soneto con estrambote o caudato, que tanto servirá para el humor de los poetas. En todo caso, y al igual que la octava, Mendoza utilizó admirablemente el soneto para una dirección desmitificadora en la que Venus, Diana o Cupido son tratados con una adjetivación de burla mitológica que va camino, con la parada en Alcázar, de la burla barroca.

Todo ello expresa la significación de apertura que tiene la poesía de Mendoza, tomado como ídolo por Gutierre de Cetina, y donde si es defecto que no trabajase más su lírica amorosa, perfeccionando la acentuación del endecasílabo, es resaltable su aplicación a la imitación ecléctica de los poemas latinos predicada por el renacimiento y esa búsqueda de novedad mediante la mezcla, que le induce a llevar una fábula o apólogo popular (tomada de una sátira de Ariosto) a sus tercetos «En loor del cuerno».

5. LA REACCIÓN DE CASTILLEJO

En ningún caso, me parece, es justo entender la poesía de Cristóbal de Castillejo como una oposición al trayecto renacentista, por el hecho de que se negara al empleo de las formas italianizantes. Dos composiciones suyas, situadas entre las *Obras de conversación y pasatiempos,* suelen esgrimirse como declaración poética de Castillejo. En la primera de ellas se pronuncia «Contra los encarecimientos de las coplas españolas que tratan de amores», es decir, contra el *arte* de una poesía cancioneril amorosa «al presente», que está ya agotada por falta de agudeza, y que necesita renovarse. Castillejo coincide en ello con Boscán, pero discrepa en el sistema de renovar, y por ello escribe «Contra los que dexan los metros castellanos, y siguen los italianos». Si en la primera de estas composiciones cita negativamente a Boscán, en cuanto poeta cancioneril «que no sabe dónde va», en la segunda vuelve a citarlo en cuanto que traiciona una tradición poética entregándose al metro italiano. La posición poética de Castillejo es clara: el «gentil edificio» que fue nuestra poesía del siglo xv con Mena o Manrique, es una ruina adocenada que hay que renovar, pero no italianizándose formalmente, sino innovando sin pérdida de nacionalidad (lo en parte hecho por Mendoza).

Esta poética clara la cumple Castillejo en su poesía, especialmente en aquella que responde al tratamiento del diálogo. Frente a la musicalidad del endecasílabo, con su ritmo métrico tan ajeno al hablar castellano para el oído español del siglo XVI, Castillejo se aplica al verso castellano bajo la misma consideración valdesiana del *Diálogo de la lengua*: que «la gentileza del metro castellano consiste en que de tal manera sea metro que parezca prosa, y que lo que se escribe se dice como se diría en prosa...» Así, a la antinaturalidad del endecasílabo, Castillejo opone la naturalidad del octosílabo, que es escribir como se habla. Y, consecuentemente, titula conversaciones o diálogo sus mayores empeños poéticos, porque en ellos se expresan, como si dialogaran, sus interlocutores.

Es obvio que, por este nacionalismo poético (que es renacimiento, como lo es en Poliziano o en Lorenzo o en Pulci), Castillejo recoge de una tradición elementos como refranes o facecias que incorpora a su poesía, pero ello no indica necesariamente medievalismo como no lo indica la directriz antifeminista de su *Diálogo de mujeres,* para el que si pueden citarse las *Coplas de las comadres* de Rodrigo Reinosa, también pueden recordarse composiciones de Hurtado de Mendoza como su sátira «Veo, Señor, cual pájaro a la liga» o «Muy más ilustres señores». Mayor precisión encierra, creo, observar la vinculación con el movimiento escénico que ofrecen diálogos como *Sermón de Amores* o la vinculación humanista con Enea Silvio Piccolomini que manifiesta su *Aula de cortesanos.*

Dada así la correspondencia entre lengua hablada y poesía, la aplicación de Castillejo al diálogo es su cultivo del género más característico del renacimiento en cuanto representación de un acto cotidiano. Y aunque en el *Sermón de Amores* se citen pronto la *Cárcel de amor* y a Leriano y Laureola, el *Sermón* no tiene relación con ellos, sino con un humor e ironía, proclamando la festividad del amor, que estaba en las enseñanzas del diálogo de Pontano, tan atento a las facecias y a la escenificación teatral.

Incluso la proyección de Castillejo en alguno de los interlocutores de sus diálogos, que parece evidente en el *Diálogo entre el autor y su pluma,* es una norma habitual del diálogo renacentista, y que se extiende al resto de diálogos como el que protagonizan Fileno y Aletio como proyección de Castillejo en dos tiempos distintos de su personalidad. Los diálogos del poeta extremeño ofrecen por ello el aspecto más personal o biográfico de su obra, donde conjuga en distintos tiempos y situaciones su experiencia y un saber renacentista ensayado con sus traducciones de fábulas de Ovidio o los ciceronianos *De Senectute* y *De amicitia.* Lo que sucede, y no sólo por su práctica del metro y la tradición española, es que sus diálogos están lejos del ambiente cortesano en el que se mueven los *Convivia* de Filelfo o el *Cortigiano* de Castiglione, porque su mundo a representar es otro. Pero es en estos diálogos donde más se halla el poeta cisterciense que rió con el renacimiento y se sintió defraudado en la corte de Viena. El poeta que, con su filiación clásica, innovó las coplas castellanas con una agilidad y gracia entretenidas en amores con nombres como Ana, hasta hacerlo parecer «fraile mocero y decidor» ante quienes creyeron que el poeta siempre dice verdad de sí.

6. MONTEMAYOR, CETINA, ACUÑA

Seguimos todavía con poetas que acompañan el movimiento itinerante del emperador Carlos V, aunque luego vayan a descansar lejos de su corte. El portugués Jorge de Montemayor, que hace famosa en Europa su *Diana,* es autor de un voluminoso conjunto de poesías que titula *Cancionero* y que es de los pocos ejemplos poéticos de obra editada bajo la mirada y voluntad del autor. La llama, como digo, *Cancionero* y ya su título nos indica cierta oposición a la nueva poesía garcilasiana y continuaciones petrarquistas. Porque aquí *Cancionero* no tiene el valor de los cancioneros petrarquistas, sino que recupera el sentido de antología de los cancioneros castellanos como el *Cancionero General* de Hernando del Castillo. Efectivamente, el *corpus* poético de Montemayor no responde a una historia de amor, sino a una colección de poemas propios que recuerda en su estructura la división del *Cancionero General* en obras de devoción y obras profanas, con la particularidad que unas y otras serán atendidas por Montemayor con metro castellano y metro italianizante, estableciéndose así cuatro apartados.

La oposición se amplía si pensamos que en su *Cancionero* acude Montemayor acertadamente a la glosa del «Ven muerte tan escondida» del Comendador Escribá, que luego recogerá Lope de Vega por su conceptismo frente a la poesía nueva gongorina, o si recordamos que en la «Glosa sobre las coplas de Don Jorge Manrique» se manifiesta Montemayor contra los poetas que trataron «con dioses de falsedad», que son los mitológicos ya citados desde Boscán y Garcilaso. Es decir, Montemayor recupera y glosa a un poeta del *Cancionero General* denostado por Boscán y niega la apelación pagana renacentista en la que Garcilaso, por ejemplo, había invocado la tercera esfera de Venus para habitar con la amada. La oposición señalada permite pensar que el pastor levantado por el poeta lusitano es una defensa y discrepancia ante el cortesano renacentista que vitaliza un Garcilaso, y sin que tal oposición se debilite porque Montemayor acuda al verso garcilasiano en madrigales como «Oh más cruda que fuera, e más esenta...» o se acompañe del «mover de vostr'occhi» petrarquesco.

Entiendo que tal significarse fuera del sentido garcilasiano obedece en Montemayor a una posición personal sobre la que actúa una conciencia religiosa prontamente revelada y una formación poética escasa, ya que, como indicara Sánchez de Lima, era poeta guiado por una vena o inspiración natural ajena a toda vinculación clásica. La obra primera de Montemayor, *Diálogo espiritual,* nos lo manifiesta ya, a través de un cortesano y un ermitaño, preocupado en cuestiones espirituales que lo vinculan mucho más a la tradición de Ramón Llull y de Sabunde que al diálogo renacentista o al movimiento escénico de Castillejo. Se trata de una religiosidad que conduce al *Cancionero,* con su admiración por el medieval Savonarola, para escribir la «Exposición del salmo Miserere mei» o su glosa al «Pater Noster».

En esta poesía religiosa, Montemayor es el primero en hacer uso del endecasílabo suelto para exponer una argumentación espiritual, adelantándose en tal uso, según creo, a su amigo Ramírez Pagán y otros poetas que emplearán el metro italiano. Pero tal novedad no supone una aceptación renacentista como no lo es, realmente, su aplicación al madrigal, o su empleo del soneto dialogístico (si es que le pertenece «¿A quién buscas, amor? — Busco a Marfida») o su entrega al soneto pastoral, que no estaba ni en Petrarca ni en Garcilaso. Montemayor vive su tiempo y en él camina su novedad, sin ocultar admiración por los poetas de la centuria anterior y comportándose en el recuerdo medieval, como en la égloga II, donde Olinea y Solisa disputan como en el debate medieval de Elena y María, aunque el rey Oriol se sustituye por el experto en amores que es Lusitano, Montemayor.

Con todo, y posiblemente por esta *vena* poética, y su oposición parcial a Garcilaso y su rescoldo medieval, en el *Cancionero,* tanto en uno como en otro metro, Montemayor se manifiesta como un excelente y amplio poeta que sabe mostrar sus inquietudes espirituales y su personal andadura de amador.

Claro está que es muy distinto el camino renacentista de Cetina y de Acuña, dotados de otras inquietudes perseguidores de cierta novedad. A Cetina se debe, por ejemplo, la introducción en España del madrigal y de la difícil sextina provenzal inventada en Provenza por Arnaut Daniel y utilizada por Dante y Petrarca (de quien lo toma Cetina). A Acuña debemos su intento de componer en endecasílabos sueltos la *Contienda de Ayax Telamonio y de Ulises,* resolviendo así en la «questione metrica» italiana sobre el poema épico o caballeresco, y especialmente lo advertimos acudiendo a la mezcla de géneros o estilos poéticos dentro de su personal cancionero petrarquista.

La poesía de Cetina, y siempre con el norte de Garcilaso, es un admirable ejemplo de permeabilidad poética que lleva la poesía española desde Hurtado de Mendoza al grupo sevillano, donde se reconoce en Alcázar y en Herrera. En gran parte, y sin olvido de su importante deuda con Ausias March, la poesía de Cetina se conduce como un deseo conseguido de traducir a su lengua poética la variedad que le ofrecían textos italianos como las *Rime diverse* citadas atrás. Su especial sentido musical y su facilidad para dejarse impresionar le facilitaron la posibilidad de crear una lengua poética que pudiera heredarse como norma. Ello le orienta a una versatilidad en la que se inscribe no ya su mutación de amadas (Dórida, Amarillida, Laura, que contacta con ríos), rompiendo con la única amada de un cancionero petrarquista, sino en la variedad conque trata un mismo argumento amoroso en sus epístolas al príncipe de Ascoli, a la princesa de Molfeta o a Baltasar de Alcázar.

El indudable *encanto* de la poesía de Cetina propicia a cargarlo de testimonios biográficos en cuanto exposición de una vida agitadamente amorosa, lo cual es muy dudoso porque la mayoría de las afirmaciones poéticas del sevillano pertenecen a sentimientos de otros poetas, tales como «por vos ardí, señora, y por vos ardo», que es de Garcilaso, o «Amor, fortuna y la memoria esquiva...», que es de Petrarca. En este orden no importa nada calcular quiénes pudieran ser Dórida, Amarillida o Laura, porque son nombres poéticos; y aún más Laura, que juega para cubrir distintas situaciones e incluso en el arte de los parónimos petrarquescos: «mientras el *lauro* el tiempo me ocupaba...», «mas la beldad del *lauro*...» «Haz que el *lauro* que ya en el alma...». Quiero decir con ello que la poesía de Cetina es una creación que parte de una varia literatura que su sentimiento hace verosímil, con independencia de que en alguna ocasión coincidiera con su existencia real. Posiblemente tuviera Cetina una experiencia amorosa real que poder expresar, pero no es ésta, sino su permeabilidad literaria la que le da ese tono agradable y comunicativo a su poesía, especialmente en el famoso madrigal «Ojos claros, serenos...», donde admirablemente supo sumar la tradición de una cancioncilla y los «occhi» de una poesía dulcemente petrarquista.

La poesía de Acuña, más sentada en interioridad, ofrece evidentes pruebas de querer concertar un personal cancionero petrarquista, aunque la edición de sus *Varias poesías* es un completo caos editorial, en el que milagrosamente se salva la situación acertada de su soneto-prólogo. Por éste y otras composiciones es indudable que Acuña inicia, con alternancia de formas métricas y amada única, un cancionero en el modelo petrarquesco. Pero conforme va expresándose la personalidad del poeta, el cancionero cambia de sentido. Fundamentalmente, los tiempos *in vita* e *in morte* de la amada petrarquescos, y que están en Garcilaso, se sustituyen en Acuña por los tiempos del engaño amoroso y del desengaño, dentro de un proceso que explicitará Soto de Rojas en su *Desengaño de amor en rimas*. El cancionero del poeta vallisoletano corre así una dirección que va de su vital encuentro con la amada al desengaño amoroso y a la introspección del soneto «Alma, pues hoy el que formó la vida», donde en su religiosidad el poeta medita

> y conoce que es viento, sombra o muerte
> cuanto el error del mundo llama vida.

Acuña, que intercala en este cancionero el célebre soneto «Ya se acerca señor, o es ya llegada», manifiesta perceptiblemente la narratividad de su poesía en cuanto historia lírica por el valor secuencial que en ella tienen sus églogas. A diferencia de las églogas de Montemayor en su *Cancionero*, que tenían pleno valor autonómico, las églogas de Acuña se relacionan unas con otras, y con el resto de las composiciones, como parte de una común historia que progresa en el texto. Por ejemplo, en la égloga IV, en la que discurren los pastores Damón, Tirsi y Fileno, cuando Tirsi dice que Damón siguió el ejercicio de Marte alternándolo con el de Apolo, la identificación de Damón con Acuña se establece rápidamente si conocemos el soneto «Jamás pudo quitarme el fiero Marte».

Por esta y otras relaciones se deduce que Acuña sigue la narratividad de las églogas de *L'Arcadia* de Sannazaro, incluso en lo que éste se identifica con el pastor Sincero, y apreciando muy bien Acuña el valor secuencial que las églogas de Samnazaro tenían respecto a una bucólica clásica. Por otro lado, en esta misma égloga IV, cuando Tirsi señala que Damón, con anterioridad, «Silvano por Silvia se llamaba», amplía la identificación entre Acuña, Damón y Silvano, con lo que el *corpus* poético se cohesiona más como historia personal representado por un yo, Silvano y Damón, que son unidad. El sentido narrativo de Acuña se aprieta más si añadimos cómo en la *satura* renacentista suma el poeta la escenificación, con su movimiento, a la lírica; cómo alcanza una perspectiva de narrador con Tirsi, que habla del poeta, y cómo funde géneros poéticos como la égloga y la sextina provenzal en una misma composición al entender con Samnazaro que la sextina era la forma en la que el yo poético se declaraba.

Con relativa independencia de lo expuesto, las *Varias* de Acuña ofrecen unos poemas de fuente ovidiana como la *Fábula de Narciso* y la *Carta de Dido a Eneas,* que quizás sea mejor pensarla de Cetina. Igualmente se contienen cuatro sonetos sobre el motivo cortesano de la red de amor que remiten a los juegos poéticos renacentistas, y este mismo juego, con distinto argumento, se representa por dos veces en coplas castellanas y dentro de esa práctica del ingenio que alabó Castiglione para veladas cortesanas. Es un Acuña fuera de su cancionero, que igualmente acude a costumbres poéticas glosando el tan glosado «Zagala, di, ¿qué harás?»

7. POESÍA TRADICIONAL

En todos los poetas mencionados, y en los que seguirán, es constante la alternancia más o menos acusada de poesía en metro castellano y en metro italianizante, porque incluso Castillejo, aunque irónicamente, emplea accidentalmente el endecasílabo. La razón está, superada la ruptura de Boscán, en la propia predicación renacentista de salvar y continuar una tradición en cuanto identificación nacional, lo que motivará en nuestra centuria la expansión del villancico y el romancero, y que sea cuando se glosan los romances o se comente ampliamente a poetas como Juan de Mena.

Me parece orientador, para la difusión de cancioncillas y madrigales, que un músico humanista como Francisco Salinas, en su voluminoso *De musica libri septem,* no sólo recoja villancicos como «¿A quién contaré yo mis quejas...?» o «Aunque soy morenica», sino que al tratar de los anfibracos valore el ejemplo del «Al muy prepotente don Juan el segundo», de Mena. Salinas, el gran amigo de fray Luis de León, recogía gratamente cancioncillas y villancicos que con su música cubrían desde un pasado anónimo la geografía española, acercándose fértilmente a los poetas, quienes argumentan en cierta paridad con una lírica tradicional que transcurría anónima.

Es significativo, en el correr de la poesía cancioneril, que frente a la ausencia de villancicos del *Cancionero de Baena,* en el prólogo del *Cancionero General,* 1511, de Hernando del Castillo, se manifieste la intención de establecer un apartado de villancicos. Tal atención no está lejos de la dirección renacentista preocupada por una tradición señaladora de identidades nacionalistas que se preocupa de salvar, mediante la escritura, tradiciones orales expuestas a perderse. Poco a poco, el villancico irá cobrando auge por el período renacentista, influyendo en el éxito de una seguidilla que incidirá en la transformación del romancero.

Villancicos y cancioncillas viven íntimamente ligados a la música y ya en los finales del siglo xv nos muestra su vinculación el *Cancionero musical de Palacio,* en el que músicos cortesanos recogen, y modifican, cancioncillas de un pasado. Especial valor tiene el llamado *Cancionero de Upsala,* descubierto por Mitjana, donde aparece el precioso y conocido villancico amoroso:

Si la noche haze escura
y tan corto es el camino
¿Cómo no venís, amigo?

La Recopilación de sonetos y villancicos de Juan Vázquez, realizada en la Sevilla de 1560, manifiesta en su título el contiguo correr de una lírica italianizante y una lírica tradicional, aunque en el texto de Vázquez, nacido por los mismos años que Garcilaso, exista un fuerte predominio recopilador de villancicos. Es la convivencia que análogamente manifiestan el *Delphin* de Luis de Narvez o los *Tres libros de música* de Alonso Mudarra o el *Cancionero llamado Sarao de Amor,* de Juan Timoneda, que junto a cancioncillas y villancicos anónimos recoge sonetos de Hurtado de Mendoza, Acuña o Ramírez Pagán.

Si sobre un tema clásico como el de Hero y Leandro se midieron muy diversos poetas o bien compitieron *traduciendo* un mismo ejemplo como el «Pommi ove 'l sole...» de Petrarca, el villancico y la cancioncilla se prestaban admirablemente para ser continuados mediante glosas y adaptados a una comunicación religiosa, como veremos con los carmelitas. Eran composiciones que, en sí mismas, invitaban por su belleza y depurada sencillez a ser continuadas, a introducirse en otros géneros, a contaminar otros cursos como el del romancero, al que también renace el siglo XVI.

Efectivamente, es mediado el siglo cuando aparecen en Amberes, impreso por Martín Nucio, el *Cancionero de romances* y la *Silva de romances,* realizada en Zaragoza por Esteban de Nájera, que fueron las dos primeras colecciones de romances que tenemos. Frente a los romances glosados que aparecían en el *Cancionero General,* los recopilados por Nucio y Nájera limpiaron de glosas los textos, devolviéndoles así la pureza de una tradición y ofreciéndolos, en su carácter noticiero, a ser continuados por otros romances, como acaeció con los que dieron noticia de los hechos de Carlos V. Las importantes antologías de Nucio y Nájera recogían una apetencia de época de gran éxito, y a la vez que respetaban su tradición estimulaban a una nueva práctica: al romancero nuevo que se asienta en la *Flor de Romances, Glosas y canciones* (Zaragoza, 1578), camino hacia el famoso *Romancero General.* La *Flor* se abría con seis romances que argumentaban las gestas y muerte del Emperador Carlos V y seguía poco más allá un romance viejo del Cid, mostrando con ello una sucesión histórica de tradición poética.

Muy interesante por su plena situación en la mezcla o *satura* renacentista y por la vida romanceril es el *Romancero ilustrado* de Lucas Rodríguez, quien en portada se titulaba «escriptor de la Universidad de Alcalá de Henares». A una octava, «Qual va del ancho puesto temeroso», dirigida al lector por Lucas Rodríguez, sucede un soneto a éste dedicado por su amigo prediciéndole la gloria por sus obras literarias. Tanto la octava como la dirección del soneto señalan una atención renacentista que parece contrastarse con la edición física de los textos, encabezados en sus tiras por unos grabados a madera que remiten a los que llevaban los populares pliegos sueltos. El *Romancero historiado* desarrolla así una armoniosa variedad que alterna romances de argumento clásico (la destrucción de Troya) con los de historia patria (la traición de Vellido Delfos) y donde nuevamente reaparece la glosa. A su vez, la rememorización del romancero viejo en temas como Bernardo del Carpio o Montesinos se hace seguir de un conjunto de sonetos adjudicado a Francisco de las Cuevas, Francisco de Figueroa o al laureado Marco Antonio de Vega, a los que se agregan las quintillas que forman la «Guerra campal del amor». La recopilación y personalización del libro de Lucas Rodríguez no es extraño que pase, en gran parte, a la *Flor de varios romances*, de Pedro Moncayo, donde ya aparece Lope de Vega con su «Sale la estrella de Venus». El siglo XVI ha sabido llevar y enriquecer el romancero para que en la segunda *Flor*, 1591, de Moncayo encontremos ya la actualidad romanceril de Lope de Vega y Góngora.

El romancero ha caminado de modo importante por el siglo XVI, haciéndose verso independiente de la música, siendo musicalidad verbal, y alcanzando un ritmo poético en contacto con las cancioncillas o uniéndose a seguidillas que forman su estribillo o su coda, impregnando al romance de un curso lírico nuevo que descarta por viejas las rimas consonantes y se mide en la unidad de las cuartetas.

8. LA POESÍA EN SALAMANCA: F. DE LA TORRE

Hemos visto, con el músico Salinas, cómo una lírica popular era recogida en textos de lograda ambición universitaria y en igual medida podríamos registrar a poetas como el rector Juan de Almeida. La poesía de corte tradicional se acoge y forma en ambientes escolares a la par que en las aulas se disciplina con una poesía latina en la que se ejercitan poetas como el Brocense. Una y otra trayectoria conviven animadamente en favor de una poesía en romance culta, personal, que agranda variamente el cauce petrarquista tan fertilizado por la lengua poética garcilasiana.

Aunque no de excesiva calidad, la poesía del Brocense manifiesta en su expresión latina y en su expresión romance el cultivo universitario que vive Salamanca. En la primera, tanto sus *epitaphia* y sus *elogia* como su *Apollinis fabula*, muestran la familiaridad con una cultura latina, a la que se siente coetánea, apareciendo en la fábula, en el diálogo entre Apolo y el Eco, el juego poético de repetir en eco sílabas que había practicado López de Villalobos y encontraremos en Julián de Medrano o Baltasar de Alcázar. En metro castellano, el Brocense intenta trasladar el ritmo de los dísticos elegíacos latinos a los dísticos castellanos o practica el terceto encadenado de ascendencia petrarquesca; y si escribe sonetos también se aplica a la copla castellana, al «Romance de Plicena» y a glosar el villancico «En el campo me metí». Y traduce el ya citado «Pommi ove 'l sole...» petrarquesco.

El soneto petrarquesco recién mencionado también lo encontramos traducido por Juan de Almeida, en prueba de coparticipación poética, al igual que glosando la copla famosa, «Puesta ya el pie en el estribo». Aunque la traducción petrarquesca de Almeida ofrezca notas de personalidad que la elevan sobre el ejemplo del Brocense, quiero indicar con ello el ejemplo de un ambiente salmantino compartido que se agranda en una clara intercomunicación cultural (atendiendo, *v. gr.,* las teorías del célebre Pierre de la Ramée) o ante motivos comúnmente sentidos como la muerte del amigo Miguel Tormón, al que Almeida dedica su «Canción a la muerte del maestro Tormón», el Brocense catorce dísticos elegíacos latinos y está en duda si fray Luis de León la «Escuela esclarecida».

Pero distintamente al Brocense, el poeta Almeida transita por una poesía amorosa de corte petrarquista que ensancha su ámbito salmantino y lo hace compartir, con sus problemas de autoría, cartapacios donde aparecen poemas anónimos atribuidos a Figueroa, Gregorio Silvestre, Montemayor, Cetina, etc. Es decir, al igual que Francisco de la Torre o Francisco Figueroa, sigue Almeida en «Antes revuelva el paso presuroso» el común modelo de un soneto pastoral de Varchi. En este continuar un camino petrarquista normalizado es muy probable que todo un conjunto de poemas donde la amada es Alcina y el poeta Fileno sean composiciones que pertenecen al Almeida, siendo para mí dudoso que le pertenezcan aquellas donde la amada se denomina Marfida. En todo caso, y con relaciones garcilasianas, se trata de poemas de muy correcta belleza, que avanzan un poco la poesía, pero donde no hay una lengua poética propia que refleje un mundo amoroso personal.

En las abundantes poesías de Almeida, un especial interés manifiestan las ocupadas por las glosas y su atención a un cauce que puede remontarse a Hurtado de Mendoza. Con éste vimos, como particularidad, su práctica de la octava aislada, con entendimiento autonómico en sí misma. En Almeida encontramos «Por vos, Alcida, dejo en el aceña», que es una composición construida con dos octavas (aunque exista alteración de rima). El recuerdo de Mendoza se acentúa porque es una poesía de tono humorístico o irónico, alejado del petrarquismo, que se acrecienta en su relación con el granadino si, como creo, son de Almeida las coplas «¿Quién os engañó, señor». Y aún cobra mayor atingencia el hecho de que, como Hurtado de Mendoza, acuda Almeida con tono de sátira o invectiva antifemenina a glosar el villancico «Olvida, Bras, a Constanza». Finalmente, aludir que entre sus glosas aparece la ejecutada sobre el soneto de Boscán «Quién dice que la ausencia causa olvido», con lo que Almeida participa en este argumento de cuestión amorosa con el que tanto dialogaron los poetas.

Puesto que cierta tradición crítica vincula a Francisco de la Torre con el grupo salmantino, haciéndolo incluso amigo de fray Luis, me parece prudente tratar en este apartado a tan extraordinario como ignoto poeta. Con Francisco de la Torre estamos ante un *corpus* poético de indudable personalidad y que aparece firmado, desde la edición principal quevediana, por un nombre del que realmente no sabemos nada después de costosas investigaciones y supuestos que lo vincularon contradictoriamente como sinónimo de Almeida, de Miguel Termón o de Quevedo. Sospecho, y no es preocupante, que el nombre de Francisco de la Torre permanecerá por siempre desvinculado de una real biografía, siendo ejemplo de la más impenetrable amonimia literaria; y estoy cierto que estamos ante un gran poeta lírico, de extrema sensibilidad, cuya primera edición debemos, con su poco de misterio, a Francisco de Quevedo en 1631, el mismo año en el que también edita por primera vez a fray Luis de León.

No le fue difícil a Crawford señalar en el *corpus* poético de Torre su deuda con ciertos argumentos y estilemas contenidos en las *Rime di diversi autori* recopiladas por Lodovico Dolce. En verdad existe tal deuda, pero igualmente podía haber acudido Torre a otra antología petrarquista de las varias que extendían la fortuna de Petrarca alentada por Bembo. Quiero significar con ello, cuando el concepto de imitación está tan vigente, que la mencionada relación no es muy relevante en sí misma. La antología de Dolce es un ejemplo del presente petrarquista y lo que me parece importante es la disposición con la que Torre acude a esa antología para realizar, sobre la accidental exterioridad, un proceso de interiorización que personaliza altamente su poesía. Por otra parte, la actualidad petrarquista ofrecida por Dolce le ofrecía a Torre una variedad distinta a la historia amorosa del *Canzoniere* de Petrarca, es decir, podía, acorde con su sensibilidad, desarrollar unos temas de interiorización como la compenetración con la noche o la comunicación con las estrellas, y desviarse así de seguir una lírica en cuanto secuencial *romanzo d'amore,* que estaba ya desgastado. Pero, acentuando su personalidad, lo que realiza Torre con esa antología es ir desde ella a la *gravità* petrarquesca del *Canzoniere,* con lo que carga su poesía de un sentido individual, propio, que lo aleja de la dispersión petrarquista de la antología para darle a su poesía la unidad expresiva de un mundo poético propio. En este sentido (y desoyendo páginas preceptivas de Trissino, Ruscelli o Dolce) creo revelador el hecho de que Torre no practique el madrigal, que era la «vaga composizionetta» cortesana en la que tanto se desvitalizaba y disolvía el petrarquismo.

Dos notas distinguen, a mi juicio, la personalidad poética de Torre. En primer lugar, su sistema de transformación lírica: el poeta se deja atraer por temas poéticos como la tórtola solitaria o la cierva herida, que tienen valores simbólicos por su recorrido clásico. El poeta se desplaza a esa tórtola o cierva, que están fuera, y va compenetrándose con esos temas hasta desplazarlos al propio sentir y ser en ellos, hasta el extremo que tórtola, cierva, noche, yedra y poeta son el mismo sujeto, como bien ejemplariza la canción «Verde y eterna yedra», donde pronto la yedra se ve cubierta «de leche, y vino, y llanto y *cierva muerta*» y más allá es «viuda entristecida» y luego «tórtola doliente». Por ello, por ese desplazarse a sí, que implica identificación, el poeta afirmará que lo que fue «fábula un tiempo» es «caso agora», su caso, o le dirá a la tórtola que se «queje a las estrellas relucientes», como el poeta realiza, y en esa compenetración le dirá a la «tórtola cuitada»:

> Pero no es mi intento
> consolar tu canto,
> sino que a mi llanto
> muestres sentimiento.

La segunda nota nos conduce a la pura idea poética de Torre, a entender su poesía como un herido sentimiento *ideal* que no aparece atado a ninguna vinculación cronológica y concreta realidad biográfica. No existe en el *corpus* poético de Torre asomo de aquellas *rime* «familiares» de Petrarca que, interrumpiendo la historia amorosa, fijaban la cronología y espacio del poeta, como el soneto «Quelle pietose rime...», recordando el 1343 en el que Antonio de Ferrara le dedicó una canción por creerlo muerto, o el soneto que dedica a Cino da Pistoia cuando muere o el que rememora la coronación de Campidoglio. Esta fijación biográfica que tan voluntariamente realizó Petrarca y que continúan petrarquistas como Bembo componiendo su canción «Alma cortese, che...» por la muerte de su hermano Carlo, es una fijación que ni se esboza en la poesía de Torre, desatándola así de cualquier hecho histórico o circunstancia personal (desde el *elogium* a los *epistaphia*) que pueda situarla en una cronología y espacio. La poesía de Torre es como una idea humanizada por el sentimiento, que escapa de un tiempo real medible y, obviamente, tal posición toca igualmente a la amada, que no es, como en el ánimo petrarquesco o garcilasiano, una amada que esté fuera y a la cual dirigirse, sino una amada que pertenece a la idea del poeta, que está en él, aunque a ella parezca dirigirse y la llame Filis porque la forma amorosa es gémina.

En la poesía de Torre constituye un valor esencial esa virtud de desplazarse a algo para desplazarlo luego a sí mismo y en ello representarse. Es algo que forma su tiempo poético y otorga unidad a un *corpus* emanado no de un modelo acomodado a su existencia, sino de una antología poética. Y es por esta capacidad de desplazamiento (simpatía) por la que el poeta podrá sentir e imaginarse en la tórtola, en la cierva herida, en la hiedra o comunicarse con las estrellas, con la noche o la luna, dentro de una correspondencia que parece esperar la llegada del cultivado dolor de Giacomo Leopardi.

Pensemos para ello en la bellísima canción «Doliente cierva, que el herido lado», situada en la larga tradición del ciervo herido que María Rosa Lida recuerda pronto con los salmos (y la paráfrasis de fray Luis) y la *Eneida* virgiliana (IV, 67), con Dido herida cual cierva traspasada por la flecha del pastor. Era un argumento, tradición, mantenido en el grupo salmantino, que Malón de Chaide («Como la cierva en medio del estío...») atiende en *La conversión de la Mag-dalena*. Pero junto a esta vía clásica y bíblica que corre espiritualizada («como la cierva... así clama... mi alma a ti, mi Dios», escribe fray Luis), presenta Gutiérrez de Cetina el soneto «¿En cuál región, en cuál parte del suelo...» don-de el sevillano se declara, por la ausencia de la amada, «como herida cierva» en cuso petrarquista; porque ya el poeta toscano, si bien en el aire del Acteon ovidiano, se transformaba «in un cervo solitario e vago» al final de la canción «Nel dolce tiempo...» y en eco virgiliano se siente «qual cervo ferito di setta» en el soneto «I dolci colli ov'io me stesso».

La asimilación petrarquesca al «cervo ferito» no alcanza, ni muchísimo menos, la significación que tiene su fusión con el mito de Apolo y Dafne en el *Canzoniere,* pero ya abre un camino de equiparación poética en el que Bembo compone el soneto «Sé come suol, poi che 'l verno aspro e rio», en el cual el poeta se siente ante su dama («tal io...») como ciervo «colto in mezzo il fianco». Es decir, que tenemos ya la fusión del poeta con el ciervo en la significación amorosa petrarquista marcada en el *Canzoniere* petrarquesco por la trasposición del versículo bíblico «Quemadmodum desiderat cervus ad fontem aquarum» (*Salmos* XLI, 1) a la situación amorosa por Laura de la canción «Amor, se vuo' ch'i torni al giogo antico». Muy significativo me parece que Francisco de la Torre se acoja a este petrarquismo amoroso citado con Bembo y no a aquel otro de anhelo religioso, cercano a fray Luis, que expresa Francisco María Molza en el soneto «Come cerva cui sete in su l'aurora».

Nos encontramos así una muy notable distancia entre Torre y Molza, que anula como sentido posibles imitaciones, y que igualmente aleja el sentimiento de la naturaleza de uno y otro poeta dentro de un común ideal humanístico. Porque la luna y las «stelle intorno» que Molza juega en el soneto «Lucente globo e de la notte rato», con probable alu-sión a su amor platónico por Camilla Gonzaga, tienen muy poco que ver con la luna y estrellas en las que se sentirá comunicado el poeta español. Dicho esto como ejemplo extensivo a los otros poetas de las *Rime* que se vienen destacando como «fuente» de la poesía de Torre y de los que se distancia al darle su individual significado (desplazamiento) a lo que venía siendo amorfa insistencia en tópicos petrarquistas.

En la canción de la «doliente cierva» en la que vamos, Torre se desplaza narrativamente al argumento «clásico» tan acogido poéticamente. Quiere decirse que extiende por la *narratio* el argumento percibido escuetamente a través de la *Eneida* y de los *Salmos,* al tiempo que descarga de su valor de símil a la cierva. No se trata de que el poeta se sienta como la cierva o el ciervo (el «come cerva...» de Molza, por ejemplo), sino que se desplaza a ellos hasta hacerse su eco. Torre es entonces como aquella Ana, hermana de Dido, «sororem unaniman», que aparecía en los primeros versos del libro IV de la Eneida para ser voz de Dido «male sana», fuera de sí. Por su desplazamiento, el argumento es asumido por Torre hasta ser él ahora el argumento como la virgiliana Ana es la misma Dido, a quien ama y no puede ayudar y empujará hacia la muerte. En su estrofa cuarta Torre expresa, siente la fusión y se dirige a los enamorados ciervos:

>   Cuando por la espesura de este prado,
>   como tórtolas solas y queridas,
>   solos y acompañados anduvísteis;
>   cuando de verde mirto y de floridas
>   violetas, tierno acento y lauro amado
>   vuestras frentes bellísimas ceñistes;
>   cuando las horas tristes
>   que ausentes, y queridos,
>   con mil mustios bramidos
>   ensordecistes la ribera umbrosa
>   del claro Tajo, rica y venturosa,
>   con vuestro bien, con vuestro mal sentido;
>   cuya muerte penosa
>   no deja rastro de contenta vida.

Por el desplazamiento a los amantes puede ser Torre su voz, su palabra, que sí deja rastro de «muerte tan penosa».

El poeta, como la Ana virgiliana, no puede impedir la muerte de los amantes cuando tanta vida esperaban, especialmente significada por el «verde mirto», donde la anteposición del adjetivo (verde) al sustantivo (mirto) hace recaer sobre éste su valor de eternamente verde sobre el de perfumado (de *myron,* perfume), junto al valor simbólico de mirto acogido por el renacimiento. Esta muerte física, ya trazada por argumentos lejanos, no puede impedirla el poeta, pero sí la muerte del silencio porque ahora ha desplazado a su actualidad, a su sentir, el argumento al que primigeniamente se había desplazado y lo ha convertido en propio de su tiempo poético, venciendo con su hoy lo que fue fábula. Y perfectamente puede cerrar el poeta su canción mandándola errar como testimonio de su sentimiento vivificador de la fábula:

Canción, fábula un tiempo y caso agora;
de una cierva doliente que la dura
flecha del cazador dejó sin vida;
errad por la espesura del monte...

El símil de la cierva herida está igualmente, por ejemplo, en la oda «Dafnis, estas pasiones», pero, a diferencia de las canciones y sonetos amorosos citados atrás, en estas odas se nos manifiesta el poeta contenido en una medida clásica en la que su amor se diluye. La oda IV, estimulada por el «Rectius vives» horaciano, se inicia con el nombre de Tirsi y en una argumentación análoga a la del soneto «Tirsis, la nave del citado Iolas». Creo que la semejanza temática entre oda y soneto no ayuda a fortalecer la posición amorosa de aquélla, sino, contrariamente, a despersonalizar el soneto, no obstante el valor representativo que le demos a Tirsis por su reiterada presencia en odas, sonetos y églogas.

Si esta oda, en su clásico discurrir por la advertencia del peligro, se contrasta con la personalizada tristeza buscando la noche o la yedra de otras composiciones, el contraste se ofrece igualmente al encontrarnos el metro corto de las endechas (que llama adónicas). Todo un libro está ocupado por diez endechas cuyo ritmo rápido parece llevarnos, en principio, por un mundo poético ajeno a la preocupación amorosa de canciones y sonetos. En la endecha VI hay una literaria comparación entre «Ariadna bella» y el poeta, pero es en la VII donde encontramos desde su comienzo los temas gratos a Torre:

> Viuda sin ventura,
> tórtola cuitada
> [............]
> llora Filomena,
> cierva herida brama...

Ocho églogas constituyen «La bucólica del Tajo», con las que se cierra la poesía de Torre recogida por Quevedo. Parecería que aquí el poeta alcanza una cierta objetividad narrativa por su apego a la fábula mitológica, ya que, por ejemplo, en la bella y dramática égloga «Filis» el poeta cuenta la desdichada historia de Dórida y Tirsi, con cuyas muertes «quedó sin flor y sin color el prado». Pero ya el hecho de escoger el nombre de Tirsi, que es frecuentemente el nombre pastoril de Torre, nos dirige hacia la personalización de la fábula. Es decir, el poeta se desplaza a la fábula, siente en ella y realiza un desdoblamiento por el que puede verse y representarse en unos personajes. Y dentro de estas ocho églogas, acaso la titulada «Galatea» sea la que mejor advierte el juego de desplazamiento observado en los sonetos y canciones. No importa mucho por ello, ni siquiera en el caso de Garcilaso, advertir qué sintagma o motivo de Torre anduvo con anterioridad en otro poeta, porque siempre tal sintagma o motivo está transformado en un sentido nuevo, propio, que pertenece a la unidad de un mundo poético de herida y personal sensibilidad, que gusta cultivarse en el dolor.

9. LA POESÍA DE FRAY LUIS

Como escribía anteriormente, en 1631 edita Quevedo en Madrid la poesía de fray Luis de León, y con ello se inician unos problemas textuales y de atribuciones cuya complejidad escapa a la brevedad de estas páginas, aunque sí advierto que seguiré primordialmente la edición quevediana, como más segura, y que únicamente consideraré los poemas luisianos que no ofrezcan duda de autoría.

La *editio princeps* de Quevedo se presentaba con un importante prólogo del poeta (anónimo) que entiendo muy significativo para la lectura de las poesías que siguen. En ese prólogo, ya atendido con gran sensibilidad por Dámaso Alonso, el poeta aparece desdoblado en dos personajes que, en la medida que son representación suya, participan del discurrir humano de fray Luis. Y es revelador, para la lectura poética, que dentro de su representarse en los personajes ofrezca fray Luis voluntarias contradicciones entre los personajes y su trayecto biográfico real. Fray Luis, en el prólogo, se desdobla en dos personajes: uno, que sería el poeta autor de las composiciones y del prólogo, y un segundo, al cual fueron atribuidas las poesías en su multiplicado correr manuscrito. En el primer personaje, que parece ser plenamente fray Luis, encontramos algunas contradicciones con la realidad biográfica del poeta. Por ejemplo, señala que sus «obrecillas» son producto de «mi mocedad, casi niñez», cuando sabemos que tales poesías pertenecen a la gran madurez de fray Luis; por ejemplo, señala ser tan desconocido que apenas «se pueden contar por los dedos» quienes saben de él, cuando la realidad señala que entre procesos y rivalidades universitarias fray Luis era sobradamente conocido. Respecto al segundo personaje, a cuyo nombre circularon las poesías, resulta que en ello concuerda con fray Luis, puesto que a él y no al Brocense o a Arias Montano se le atribuyeron normalmente las poesías.

La apuntada ambigüedad del prólogo, muy propia de los alcances renacentistas, entiendo que ofrecen su lectura al deseo luisiano de que comprendamos su poesía dentro de un ámbito significativo desligado de anclajes biográficos que puedan parcializar en accidentes lo que se ofrece como verdades universales. Es decir, fray Luis intenta que salvemos, por la atracción erudita a lo biográfico, los problemas de fechación de sus composiciones para darles un sentido, o que este sentido lo disminuyamos un tanto por supeditarlo, en la «Vida retirada», por ejemplo, a que tal composición la escribiera en su retiro de La Flecha (como piensa Llobera) o haga relación al retiro en Yuste del Emperador (como pensó Coster y siguió Bell).

De acuerdo con este sentido *universal* ofrecido desde el prólogo, creo que el orden de composiciones que ofrece la edición quevediana es el correcto, apoyando la tesis de que siguiera Quevedo un texto luisiano preparado para la imprenta. En este orden quevediano nos encontramos, por ejemplo, que a la oda III, «El aire se serena», escrita entre 1577 y 1580, excarcelado ya fray Luis, le sigue la oda IV, «Inspira nuevo canto», escrita hacia 1569-1570, antes de ser encarcelado el poeta. Nos encontramos, pues, que voluntariamente las composiciones no siguen un orden cronológico de redacción, con lo que ello tuerce un seguimiento biográfico. Aunque nos hallemos con la poesía luisiana en un argumento o sentido muy distinto al petrarquesco, me parece indudable que estamos ante un mismo valor de situación *in ordine* de los *fragmenta* seguidos desde el *Canzoniere* de Petrarca: lo importante no es la fecha de composición de las poesías, sino su orden dentro del *corpus* poético, establecido para dar secuencialidad y sentido al conjunto.

Este *corpus* poético luisiano se abre con la oda «Qué descansada vida...», que supera en su amplitud iniciadora las restricciones localistas señaladas atrás, en discrepancia, por Llobera y Coster. Es obvio que el apartarse del «mundanal ruido» coincide con una posición personal de fray Luis (posiblemente con el tiempo en el que le escribe a Arias Montano ansiar vivir «en sosiego y en secreto»), pero también es obvio que en tal posición coincide *cultamente* con el horaciano «Beatus ille...» acogido por el Marqués de Santillana y muy específicamente evocado en el tiempo renacentista como opuesto al *negotium* donde el hombre se pierde, al perder su «cuidado». La vida retirada, averiguándose el hombre en ella, contribuía a salvar lo que el presente es la parte caduca, accidental, de la eternidad, y en tal posición es indudable que un ejemplo era el retiro en Yuste del Emperador, lo que está lejos de proclamar que éste sea el argumento de la oda. La actitud del Emperador puede ser el camino seguido por uno «de los pocos sabios que en el mundo han sido», pero más lo es la senda que en su íntima teología siguieron los místicos. Por tanto, en la armonización de mundo cristiano y mundo clásico o pagano que realiza el renacimiento con Petrarca, fray Luis expone, en su vivencia, este camino de los sabios, y lo destacable ahora será advertir en qué consiste esa sabiduría y qué otorga. La oda, pues, si como obra humana refleja un estado personal, también enseña una conducta de los sabios y es, a la vez, una invitación a seguirla en la que priva un carácter de enunciado que irá desarrollándose en las siguientes composiciones. Si avanzamos por el *corpus* poético luisiano nos compenetraremos más con su personalidad buscando el ascenso, también extenderemos la invitación a participar que nos hace, salvando accidentes. En esta oda escribe pronto fray Luis, y predicando del sabio, que

> No cura si la fama
> canta con voz su nombre pregonera,
> ni cura ni encarama
> la lengua lisonjera
> lo que condena la verdad sincera...

No cuidarse de la fama pregonera está en la línea humanística del deseado (y aconsejado) retiro luisiano, de la razón de anonimidad expresa en su *Dedicatoria* y que no significa, como hombre culto, abandono o descuido de su poesía, sino la aceptación aristotélica de que la *eudaimonía* (felicidad) pide el descarte material para residir en la actividad intelectual y, aún más, en la contemplación de la verdad (*Ética a Nicómaco,* X, 7), con lo que en fray Luis se identifican verdad, bondad y belleza.

El descarte material de su poesía preparada para la edición era ocultar su nombre (con lo que la elevaba sobre el biografismo para el receptor), sin que en ello hubiese el mínimo desamor, como demostrará volviendo sobre ella, reconociéndola gozoso, en *De los nombres de Cristo* por boca de Marcelo. Se corresponde tal actitud con la personal alternancia de retiro (soledad) y convivencia *(urbanitas)* luisiana, en cuya conjugación «como poeta (escribe Vossler), se sentía apartado y quería aislarse en su práctica literaria: tanto más cuanto que el motivo principal de su canto era el desvío del mundo y el conocimiento de sí mismo».

Cuando la oda va hacia su mitad, fray Luis escribe ese «Vivir quiero conmigo» que interioriza todo el bucolismo de la composición y que permite pensar, como afirma Senabre, que «de lo que se habla es del despojo de los sentidos para recorrer el camino hacia la unión con Dios». La asimilación clásica del «Beatus ille» con su correr renacentista se convierte así en metáfora de un proceso espiritual, de sentido místico, que ansía su ascenso a Dios a través de un lenguaje humano, cargado de simbolización y en el que existir, sentirse fuera y comunicación.

Creo que este valor místico de la «Vida retirada» puede llegar por un conocimiento del lector de los textos de Francisco de Osuna, san Bernardo, san Juan Crisóstomo, el Pseudo Aeropagita, etc., y por la confirmación en composiciones del *libro* como «Alma región luciente» u «¡Oh ya seguro puerto!», al igual que la relación sintagmática con Horacio o Garcilaso la establece el conocedor de éstos. Como acabo de recordar con Vossler, fray Luis «componía sus poesías exclusivamente para sí mismo y para sus más próximos amigos»; es decir, se trata de una comunicación poética que pertenece a un orden en el que emisor y receptor comparten una área de conocimiento común, están en un mismo código de referencias y alusiones culturales. Pero esta poesía, que queda ayuna de los comentarios escritos de receptores como Chacon, Grial, Salinas o el Brocense (que estaban en el código del presente luisiano), resulta que es una poesía con tal fuerza expresiva que su propio latido le hace romper el círculo humanístico y correr entre oídos y manos que la repiten convirtiéndola en pública por la voz y los cartapacios anónimos. Es una extensión que ya obliga al poeta a pensar en una edición que *fije* el texto y que podrá llegar a unos receptores ajenos al humanismo y espiritualidad compartidos, receptores que irán alejándose de la unión renacentista entre poesía y mística, y que quizá, al leer el retiro de fray Luis en su *locus amoenus* no sepan o recuerden que el agustino había leído en Teresa de Jesús, por ejemplo:

> Aprovéchame a mí también ver campo, u agua, flores. En estas cosas hallaba yo memoria del Criador, digo que me despertaban y recogían y servían de libro.

La poesía de fray Luis, con su gran belleza expresiva, se ofrece así desde su «Vida retirada», tras la *Dedicatoria,* a una variedad interpretativa. Imagino que tal variedad fue supuesta por fray Luis al preparar su edición, pero esta diversidad de lecturas no podía salvarla con unos comentarios propios como Juan de la Cruz explica *su* poesía. No podía (en el supuesto de que estuviera en su pensamiento editor), porque su *corpus* poético ofrecido no era propiamente un *libro,* en cuanto unidad, sino *fragmenta* que hilaba una misma personalidad detenida en argumentos distintos como «Folgaba el rey Rodrigo» o «Aunque en ricos montones», difíciles de situar con el posible *ascensus* que encierra el hermetismo de «¡Oh ya seguro puerto...».

Con todo, creo en la elección de la «Vida retirada» como aquella de las composiciones más adecuada para abrir la alternante vertiente de poesía mística y poesía *profana* que se ofrece en el *corpus* poético luisiano. Me parece indudable que sintagmas de esta composición como huir «del mundanal ruido» o «Vivir quiero conmigo» comportan ese sentido de conducta mística resaltado por Senabre y un sentido humanista de amar la soledad (vivir en sí) para después comunicar. De este modo, estrofas como la indicada con «Que no le enturbia el pecho...», significan un desprecio del mundo predicable para esa vía mística que se acrecentará en el progreso de siguientes odas, pero también es un desprecio del oropel que puede engañar al humanista y que se reitera en odas «terrenas» como la pronunciada contra la avaricia. Y si la estrofa iniciada con «No cura si la fama» puede relacionarse con la voluntad de anonimia para estas poesías, creo que igualmente concierne al desprecio del nombre para el sabio (Santo) como al desprecio por la «voz progonera» que encontraremos en Herrera y se cita con Poliziano. Incluso sintagmas como «almo reposo» crecerán después en «Alma región luciente».

Apunto con ello a mi lectura de la poesía luisiana como un *corpus* coherente que, desde la «Vida retirada», ofrece un cierto progreso argumental («El aire se serena»; «Cuando contemplo el cielo...»; «¿Cuándo será que pueda...?», por ejemplo) o de intensificación redundante, y que alterna esta línea de *ascensus* con otras odas detenidas en temas «terrenos» que sirven de contraste, quebrando una posible monotonía, pero que de algún modo fortalecen una conducta humana en cuyo entendimiento está el retorno a su origen del alma. Para una cabal comprensión del sentido de esta poesía, ofrecida en *fragmenta* que poseen su autonomía, quizá nos falte pertenecer a ese círculo de amigos que estaban en el código luisiano.

Acaso en el curso poético de fray Luis, la conocida oda dedicada a Salinas requiera atender algo a su accidente biográfico para captar su sentido, que me parece ajeno a una tradición crecida en la idea de una música celestial, promovida por el movimiento armónico de los astros, que descendía sobre los hombres tocando a algunos con su sonido. Entre los grandes amigos de fray Luis estaba, desde 1567, el músico Francisco Salinas, retornado a Salamanca y autor de un extenso e importante texto latino titulado *De musica libri septem*. En el interesante prólogo a sus *libri* exponía Salinas, con Boecio, que la finalidad de la música es la «búsqueda de la verdad» y argüía (sigo traduciendo) tres sólidas razones en favor de la enseñanza y conocimiento musical: en primer lugar produce un deleite y «no es propio del hombre bien nacido que sólo se dedique a cosas útiles», en segundo lugar, porque la música «nos hace más religiosos» y, en tercero, porque «nos hace más sabios». Son tres valores: deleite o belleza, religiosidad y sabiduría, que nos acercan a fray Luis, y más si recordamos la presencia agustiniana en las páginas de Salinas.

Ya en su libro I señalaba Salinas que la «música intelectual es propia de los filósofos» y que gracias a esta música captada por el entendimiento «podemos ver en el cielo estrellado las *ideas* e imágenes de las consonancias y de los tonos». Se trata, implícitamente, de una negación por parte de Salinas de aquella música cósmica expresada, por ejemplo, con el *Vergel de música* de Martín de Tapia y los pitagóricos. Claramente expone Salinas:

parece lo más probable que si Dios, creador del universo, no quiso que le faltase nada, tampoco hizo nada superfluo. Eso hubiera sido la música sideral que no había de ser escuchada por nadie. Ni por los hombres a cuyos oídos, por muchas causas, no pueden llegar esos sonidos, ni por los espíritus que mueven los astros porque no tienen oídos ni necesitan de ellos. Tampoco creo que sea necesaria esta música de los astros y de los elementos.

Por tanto, el receptor al que directamente se dirige fray Luis es un músico ajeno a la emanación o reflejo de la música celestial o cósmica en la tierra. Alejado en ello de Boecio o Macrobio, Salinas trata aquella música «que se percibe por el oído y se medita con el entendimiento». Su interés es una música cuya belleza puede mover al espíritu armoniosamente, conduciéndole a la sabiduría. Creo que no estamos nada lejos de la significación de la oda luisiana, cuyo comienzo es un reconocimiento a esa música oída, sentida por el arte del amigo:

El aire se serena
y viste de hermosura y luz no usada,
Salinas, cuando suena
la música estremada,
por vuestra sabia mano gobernada.

Pero acaece que esa «música estremada», percibida por el oído de fray Luis, llega a un entendimiento abonado por el humanismo y ansia contemplativa, donde anidaba, por ejemplo, el pasaje de los Salmos (XVIII, 2) «Caeli enarrant gloriam Dei». Y es aquí, en este acoger el entendimiento luisiano, donde pueden recordarse textos como el *Somnium* ciceroniano extendido por Macrobio con su interpretación platónica y en aquel punto en el que podía leerse como exposición mística del deseo del alma de regresar a su origen:

> A cuyo son divino
> el alma, que en olvido está sumida,
> torna a cobrar el tino
> y memoria perdida
> de su origen primera esclarecida.

Distinta a «la belleza caduca engañadora», la esencial belleza que se desprende de la música conducida por Salinas es una música que, oída, sentida por fray Luis, es luego captada por su entendimiento para crear en el alma del poeta su ansia *(ascensus)* de «llegar a la más alta esfera».

No creo así que fray Luis se sitúe en esta oda en la tradición de la música de las esferas expuesta por Boecio, Cicerón, Macrobio, etc., porque no parece lógico que el poeta se opusiera a Salinas en una oda a él dedicada y que parece recoger, en parte, las conversaciones de los dos amigos sobre cuestiones de poesía, arte, y especialmente música. Más que una paráfrasis cristiana de estética platónica, entiendo, como ya hiciera en 1885 el padre Marcelino Gutiérrez, recordado por Llobera, que es muy probable que fray Luis en su oda a Salinas «reprodujera el pensamiento de éste, aprobando así por modo delicado, a la par que sus habilidades, su modo de pensar».

La música de Salinas, como la «vida retirada» (soledad) en la anterior composición, propician que el alma recupere la memoria de su origen y, descartada de intereses materiales, se avecine en el cielo, de modo análogo a lo expreso en la *Exposición del Libro de Job*:

y desembarazada [el alma] de las cosas de fuera, éntrase dentro de sí, y puesta allí, conversa solamente consigo y reconócese. Y como es su origen el cielo, avecínase a las cosas dél y júntase con los que en él moran; los cuales influyen luego en ella sus bienes como en sujeto disgustado...

Oída la música de Salinas, aislada en ella el alma del poeta, es cuando éste, «como se conoce», puede aspirar a su origen y, como afirmaba Salinas, «ver en el cielo estrellado las ideas e imágenes de las consonancias y de los tonos», de la serena armonía del firmamento. La música, como la vida retirada, le han permitido a fray Luis, apartándose del mundanal ruido, llegar a la sabiduría, y por ello pide permanecer en ese estado de ascensión al cerrar la música de su oda:

> ¡Oh, suene de contino,
> Salinas, vuestro son en mis oídos,
> por quien al bien divino
> despiertan los sentidos,
> quedando a lo demás adormecidos!

Avanzando unas páginas nos encontramos una otra oda luisiana, «Noche serena», en la que el entendimiento, como decía Francisco Salinas, le permite al poeta admirar el orden armonioso del firmamento:

> Cuando contemplo el cielo,
> de innumerables luces adornado...

Es una contemplación, meditación en la noche, con lo que noche y cielo vuelven a conjugarse en la actitud luisiana, y donde la contemplación, en el correr del platonismo, responde al deseo de entender las cosas viéndolas. Un poco más, en vía de misticismo, es la sublimación de lo contemplado con la esperanza y ansiedad de alcanzar la máxima visión, la unión con lo amado. De ahí que, secuencialmente, a la contemplación de la «Noche serena» siga la ansiedad expresada a Felipe Ruiz de «¿Cuándo será que pueda...», en la que el poeta verá «en la más alta esfera» o cielo.

Pero hallamos, en el orden de edición del *corpus* poético luisiano, que el esbozado proceso contemplativo, de aspiración mística, se encuentra interrumpido, ya que entre «El aire se serena» y «Cuando contempla el cielo» se intercalan composiciones *profanas* como «Inspira nuevo canto», «En vano el mar fatiga» o «Folgaba el rey Rodrigo». Creo que ello está dentro del orden de alternancias renacentistas que marqué en el comienzo con la alternancia de formas métricas, que estaba en el *Canzoniere* petrarquesco, intercalando en el proceso amoroso composiciones ajenas de carácter civil o realismo biográfico. Así la diatriba contra la avaricia, por ejemplo, parece quebrar o interrumpir el proceso contemplativo, y entiendo que una y otra vía que se alternan, remiten a la amplitud anunciadora de la oda que abría las poesías. Porque, por ejemplo, aquel despreciar el «dorado techo» que realizaba el sabio en la «Vida retirada», se acentúa en la oda a Salinas con ese estado del sabio que «el oro desconoce / que el vulgo vil adora», y encuentra un desarrollo en la oda «De la avaricia» que alterna con la anterior.

Muy acertadamente, y recordando un discurso de inauguración universitaria de Dámaso Alonso, sitúa Lázaro Carreter la oda luisiana «Al licenciado Juan de Grial» en la herencia de la *praelectio* en metro horaciano que pronunció Poliziano para la apertura del curso de 1487. Como en Poliziano, en fray Luis existe una identificación entre pensamiento y palabra, como aquél había defendido en su *Praelectio de dialectica,* porque la palabra era pensamiento en sí misma y el hombre, como sostiene el italiano en su *Nutricia,* llegaba a un conocimiento de sí por medio de la palabra. Se comprende así, y por la filiación con Poliziano del Brocense, amigo de fray Luis, el alto valor que tiene para fray Luis el dedicarse al estudio poético, que era saber y conocer, y que por ello cierre la oda amargamente.

> ... y, caro amigo,
> no esperes que podré atener contigo,
> que yo, de un torbellino
> traidor acometido y derrocado

> del medio del camino
> al hondo, el plecto amado
> y del vuelo las alas he quebrado.

Con independencia de su fecha de composición, en la que como en tantas otras discrepan Coster, Merino, Llobera, etc., la oda explica más allá de sus circunstancias reales la medida intelectual del verso luisiano, su ser en la palabra poética y a través de ella conocerse y existirse. Y es esta fe renacentista en la palabra, que es pensamiento por el que conducir su *ascensus,* lo que dolorosamente lamenta fray Luis tener que abandonar ante una acción de la vida (como pueden ser el «torbellino» de su proceso o la oscuridad de la cárcel). Lamentarse justamente de no competir («atener contigo») con Grial, y cuando previamente nos ha señalado y se ha señalado la virtud del estudio poético en forma de ofrecido discurso.

Un poco más allá, en el correr de las páginas nos encontramos la oda «De la vida del cielo», en la que por el poder, virtud de la palabra, fray Luis se sitúa en el vivificador cielo, «Alma región luciente», elevando el *almus ager* virgiliano o el horaciano *alme sol.* Sosegadamente va *sabiendo* la felicidad del cielo que describe, a cuya «esfera» traslada su conocimiento del *Pastor* y su comunidad bucólica («toca el rabel sonoro»), hasta que llega un punto en el que la palabra ya no describe, sino que es aspiración por la escondida senda del «amada en el Amado transformada» de Juan de la Cruz. En la música oída por su propia palabra, fray Luis pide que la música (paz) de la esfera le toque:

> ¡Oh son! ¡Oh voz! ¡siquiera
> pequeña parte alguna decendiese
> en mi sentido, y fuera
> de sí el alma pusiese
> y toda en ti, oh Amor, la convirtiese!

Margherita Morreale, que refrenda la relación con Poliziano del citado trabajo de Lázaro Carreter sobre la oda a Grial, creo que acierta plenamente al señalar, con Lázaro, que en la última parte de esta oda «se inspiraría Fr. Luis directamente en Ovidio, y más específicamente en sus versos del exilio póntico». La oda luisiana discurre así de una salutación pareja a la oda «Iam cornu gravidus...» de Poliziano a una interiorización en la que el poeta siente una situación de pérdida de la palabra (estudio) poética hermana de la ovidiana, con lo que se coloca en un presente contrario a la compañía que Poliziano saludaba. Para fray Luis, esta pérdida por culpa de un «torbellino traidor» significa perder el avanzar en el conocimiento de sí por medio de la palabra, en lo que palabra y pensamiento se unifican, en lo que *su* palabra era camino para avecinarse en la «alma región luciente». Enlazando así estas dos odas se advierte más cómo la lamentación final de la pérdida de palabra en la primera oda carga de dramatismo el «del vuelo las alas he quebrado», y cómo la recuperación de su palabra en la siguiente oda le permite habitar por ella ese cielo que gobierna el buen Pastor. Hasta que en su final, su palabra y pensamiento ya no bastan para conocer y entonces pide que descienda a su sentido el son, la voz celestial, con la que

> Conocería dónde
> sesteas, dulce Esposo, y, desatada
> desta prisión adonde
> padece, a tu manada
> viviera junta, sin vagar errada.

Las dos odas, «A Juan de Grial» y «De la vida del cielo», culminan así un paralelo lamento presidido por el valor de la palabra, y que las interrelaciona en este mi lectura gradual que intento. En la primera, fray Luis lamenta la pérdida de *su* palabra como medio de conocerse y ascender, y, en la segunda, se lamenta del límite humano de la palabra para conocer, por lo que pide esa «pequeña parte» de voz celestial por la que «conocería» lo que la palabra humana no le alcanza.

Me parece que en esta última medida de aspiración se encuentra la siguiente oda «Oh ya seguro puerto...», en la que fray Luis personaliza intensamente imágenes y metáforas de larga procedencia como la representación de la vida por el mar y el camino del hombre como una navegación que ansía, venciendo las tempestades, llegar al seguro puerto.

Esta palabra, palabra poética de fray Luis, tan en su valor exaltada en *De lo nombres de Cristo,* es la que otorga su gran densidad a la poesía luisiana, dando sobrada razón a la admiración de Cervantes. Porque es una palabra medida en su armonizar la expresión individual con una cultura que había hermanado tradición clásica y mundo bíblico, desde el lejano aprendizaje con Cipriano de la Huerga en Alcalá, cuyas explicaciones conciliaban cultura hebraica y *studia humanitatis.* En la consideración de la palabra, es significativo que fray Luis renuncie a la petrarquista forma del soneto o la canción, para acogerse al clasicismo de la oda, y son prueba de su ejercicio de arribada unos sonetos de variedad petrarquista como «Después que no descubren su Lucero», en el que fray Luis practicó con un argumento que desde unos epigramas atribuidos a Platón por Diógenes Laercio sirvieron de compartido ejercicio a Bembo, Galeazzo di Tarsia o Coppetta. Tanto estos sonetos como la asistencia a las explicaciones de Huerga comienzan a explicar el cultivo de la palabra por fray Luis, hasta hacerla su mejor existencia y su mejor invitación a compartirla.

10. EL RENACIMIENTO SEVILLANO

Volcada a la ciudad y a la *urbanitas,* Sevilla vive en este período un momento de esplendor en el que carretas tiradas por bueyes transportan, en tiempo de flota, oro y plata desde el Guadalquivir a la Casa de Contratación. Es el período donde se edifica Sevilla como nueva Roma y donde se abren salones que albergan tertulias de diálogos artísticos. La Sevilla cuya riqueza heredará el poeta Juan de Arguijo para acabar arruinado.

Fundamentalmente, la Sevilla que habitan los escritores que nos interesan tiene el testimonio del *Libro de retratos* de Francisco Pacheco, quien en prueba de convivencia poética se atreverá a la edición de los *Versos de Fernando de Herrera* y declarará de Baltasar de Alcázar que «las cosas que hizo este ilustre varón viven por mi solicitud y diligencia». Efectivamente, en Pacheco anida un elogiable empeño testimonial y su *Libro,* que anduvo tanto tiempo oculto, es un texto de extraordinario interés por sus noticias de los sevillanos y por contener, a veces, las únicas muestras poéticas que conocemos de unos autores. En sí mismo, el *Libro de retratos* ejemplariza la hermandad entre poesía y pintura que corrió por el siglo XVI sevillano.

En el principio de la formación poética sevillana está Juan de Mal Lara, nacido hacia 1524, y que pudo abrir estudio de humanismo a mitad de siglo. En Mal Lara, amigo del Brocense, concurren una serie de testimonios que lo declaran como maestro y en una magnitud difícil de medir por la pérdida de su obra teórica. Especialmente conocido por su *Filosofía vulgar* (que no tengo por tan erasmista como aparenta y sí con maneras de Poggio Bracciolini), el magisterio de Mal Lara debió poner cotas clásicas al desarrollo poético de su ciudad, lo que ciertamente no le valió mucho a él para ser buen poeta. En el discurrir de la *Filosofía* traduce Mal Lara al castellano los ejemplos clásicos que aduce y normalmente lo hace con una pobreza rítmica que apenas si halla excepción en algunos ejemplos como al llevar el humor epigramático de Marcial a su verso «Tenéys, señora Aldonza, tres treynta años», con motivo de ilustrar el refrán «A falta de moça, buena es Aldonça». Su calidad poética no mejora mucho en los frecuentes epigramas latinos y sus declaraciones que van salpicando las páginas de la *Galera Real* ni en la final y larga «Oda hecha en loor de Don Juan de Austria». Tampoco su poema *La Psyque* remedia la mediocridad apuntada. Con todo (y aparte los grandes valores de la *Filosofía vulgar*), la práctica poética de Mal Lara enseña la vitalidad de una corrección clásica en la que será alabado por Herrera, y que es conducta importante para medir el desarrollo poético sevillano.

En análoga actitud se halla Francisco de Medina, que comenzó sus estudios con Mal Lara, y cuyo prólogo a las

Anotaciones de Herrera constituyen una espléndida manifestación de la lengua poética. En Medina se acentúa, con su contacto italiano, la relación entre pintura y poesía, según nos dice Pacheco, y tanto en sus escasas muestras de endecasílabos como de coplas castellanas revela una sensibilidad poética y un sentido inmortalizador de la poesía, perfectamente declarado en el soneto «Las torres, cuyas cumbres levantadas».

Poetas como Diego Girón o el cordobés Pablo de Céspedes, son poetas que apenas podemos vislumbrar por los elogios de Herrera y Pacheco, junto a tal o cual fragmento poético. Representan un no excepcional ejemplo de la contradicción que es la pérdida de una materia poética en momentos donde la palabra se celebra como orgullo que, con el recuerdo horaciano, más seguramente nos salva del olvido. Con todo, en su *Arte de la pintura,* nos va ofreciendo Pacheco unos fragmentos poéticos de Pablo Céspedes que bien merecen salvarlo para una historia de la poesía.

Si bien no enteramente sevillana, *Las Flores de baria poesía* es una buena antología recopilada en Méjico, en 1577, que recoge una amplia muestra de poetas sevillanos como Gutierre de Cetina y Juan de la Cueva, con la particularidad de atender también extensamente a Hurtado de Mendoza. En las *Flores* se incluyen composiciones como seis sonetos religiosos de Mal Lara y poesías de Baltasar de Alcázar, Juan Farfán, Fernando de Herrera, Gerónimo de Herrera, Juan de Iranzo... y doce sonetos de Vadillo, poeta petrarquista y garcilasiano que muestra su compenetración con Gutierre de Cetina, a cuya muerte dedicó el atinado soneto «Vandalio, si la palma de amadores».

Desplazándonos ya propiamente a los poetas que cuentan con una producción registrable, el sevillano Baltasar de Alcázar es un vital ejemplo de la influencia de Mendoza, quizá llegada en parte por su amistad con Gutierre de Cetina. Fundamentalmente conocido por su poesía festiva y epigramática, especialmente la célebre «Cena jocosa», la poesía de Alcázar alcanza una rica variedad y un sentido antiherreriano que orienta la pluralidad poética sevillana, yendo del ideal petrarquista a la realidad antipetrarquista sentida en Italia por Hurtado de Mendoza.

En una etapa de cierto bucolismo, Alcázar cruza con Cetina canciones, epístolas y sonetos que muestran un ágil y buen hacer poético. Se detiene en el amor, haciendo uso de las coplas castellanas y del endecasílabo, y van apareciendo nombres femeninos varios: Isabel, Costanza, María, Juana, Inés..., nombres que luego adquirirán una clara personalidad. En este curso, en serio petrarquismo, hay un grupo de sonetos amorosos presididos por los ojos de una amada, a la que una vez llama Belisa. Son, en primera instancia, unos diez sonetos que guardan unidad como promesa («me tienen y ternán de aquí adelante») de entrega amorosa y rendimiento. El Amor establece su imperio «en esos bellos ojos de alegría» y por ellos queda vencido el poeta. En el tercer soneto, «¿No sois, hermosos ojos, los que fuiste», se dirige más directamente el poeta a los ojos de la amada hasta confesarle el contento de verse vencido por ellos:

> Mostradme algún placer, que basta, ojos,
> para quedar vencido yo y contento,
> veros quedar contentos de vencerme.

Esos ojos van siendo, en sucesivos sonetos, «verdugos de mi alegre y libre vida», dueños del poeta que en ellos se siente prisionero, hasta ofrecerse como escarmiento al confiado porque «raro ejemplo en amor es mi caída». En la brevedad de diez sonetos nos ofrece Alcázar una historia amorosa que progresa secuencialmente como un pequeño cancionero, en el que no falta la tensión de ir del gozo a la desesperanza, de la alegría al desencanto. Hasta que en el soneto X, «Sembrando amor andaban unos ojos», el poeta, con sucesión de metáforas agrícolas, parece razonar su desengaño como liberación final:

> Quien tuvo culpa en el sembrar fue el dueño,
> que bien surcó en mi alma el duro acero;
> más sembró tarde al fin y arrepintióse.

Los sonetos de amor que siguen del XI al XII, dan la impresión de pertenecer a otros momentos poéticos de Alcázar y muestran una autonomía que establecen su distancia entre sí, desde el «No siento yo, bellísima María» al conceptismo del «Gloria pena y mi penosa gloria» jugado todo él sobre la exclusiva alternancia de los términos gloria y pena como rima. En ellos, con «¿Qué medio habrá para llevarte, ausencia?», Alcázar ensaya afortunadamente el soneto dialogado y, en otro, «Caballos crespos, breves, cristalinos», el poeta parece querer quebrar la influencia petrarquista y garcilasiana ofreciéndonos por sus endecasílabos una atrayente descripción física de la amada (frente, cejas, ojos, nariz, boca, dientes, «trepado cuello», manos, pecho...), hasta cerrar su descripción.

> Melindroso ademán, dulce y directo...
> si lo que vemos público es tan bello,
> ¡contemplad, amadores, lo secreto!

Este rompimiento de la intimidad y parquedad descriptiva de la belleza de la amada que realiza Alcázar, animándonos a contemplar «lo secreto», creo que es índice de la diversa cronología que ofrecen estas composiciones, donde si los diez sonetos primeros presididos por los ojos permiten pensar por su ilación en un común tiempo de creación, no así el conjunto de los veinte y tres, aunque tengan todos argumento amoroso.

Otros sonetos, de aliento religioso, van señalándonos una inquietud espiritual que se acrecienta cuando el poeta se halla «en esta edad que a descender comienza». Son composiciones en las que Alcázar se mueve en diálogo consigo mismo («Rindamos, cuerpo, los cansados bríos») y que ofrecen una dimensión frecuentemente olvidada ante su éxito epigramático y el jocoso levantamiento de su Inés frente a la *donna* petrarquista reelaborada por Herrera.

Con Hurtado de Mendoza, en contraste formal con la secuencialidad de la «Octava rima» de Boscán, advertí ya la autonomía que concedía a una sola octava, tal como

«Hermosa Dafne, tú que convertida», encuadrable en su amor por Marfira, o la otorgada a «Empreñose Ginebra la mañana», dentro de su poesía burlesca. En ambos casos, una sola octava funcionaba con una independencia métrica análoga al soneto o epigrama. En Alcázar, entre sus poesías amatorias, hay una octava, «¿Cómo? ¿Por qué no pagas? Di, ¿qué es esto?», que discurre ortodoxamente en su valor de «octava sola», al igual que Hurtado, y como no acertará a conseguir Eugenio de Salazar en su poesía religiosa.

No muy lejos de esta página referí atrás el soneto de Mal Lara «Teneys, Señora Aldonza, tres treynta años», que el manuscrito de la Bibliothèque Nationale de París nos ofrece atribuido a Hurtado de Mendoza, en cuyo aire está. El soneto de Mal Lara acogido en su *Filosofía vulgar* pertenecía a la especie de soneto con estrambote o caudato que tuvo cierta aceptación entre poetas y había sido introducido en España por Hurtado de Mendoza como forma propicia para la poesía burlesca o satírica.

Desde el soneto «A una vieja que se tenía por hermosa» a los encadenados «Consejos de Don Diego», Hurtado de Mendoza ofrecía en la variedad de sus sonetos burlescos una admirable asimilación del uso de la hipérbole cómica como oposición a la hipérbole petrarquista y en la línea en la que Francesco Berni había manifestado su parodia de Petrarca y Bembo en sonetos como «Ser Cecco non può star senza la corte». Con el magisterio de Hurtado de Mendoza trazaba Alcázar su excelente

Haz un soneto que levante el vuelo
sobre el Cáucaso, monte inaccesible,
de estilo generoso y apacible,
lleno de variedad de Cipro y Delo.
 Con perlas, ámbar, oro, grana y yelo
(nieve quise decir no fue posible);
no sea lo esencial inteligible,
pues que no ha de faltarle un Velutelo.

Inmediatamente anunciará el estrambote («cuenta el caudal...») en su sentido festivo, pero ya estos dos cuartetos copiados del soneto nos sitúan en dos vertientes que ampliaré un poco luego: la trayectoria antipetrarquista de Alcázar en la que levantará su *anti-donna* festiva, con la alusión aquí al Vellutello que vimos empeñado en el *romanzo d'amore* de Petrarca; y la denuncia de la presión de los consonantes en el poeta que manifestará en sus coplas «Sobre los consonantes», camino de la burla quevediana del poeta acomodado en el *Sueño del infierno*.

Abandonando otros valores e invenciones de Alcázar, acaso su mayor empeño poético sea la creación de una *antidonna* que refuta el ideal petrarquista y se desarrolla como una parodia de la severidad amorosa de Fernando de Herrera, incluso de la que éste ensaya en el cauce cancioneril, como «Yo de vos no he de querer», a la que opone Alcázar las coplas de «Ved lo que Juana se estima». Básicamente, al idealismo de la Lumbre o Luz herreriana opone Alcázar un realismo concreto que simboliza la búsqueda de oscuridad exaltada en «A una dama que apagó una vela para que a oscuras la gozase su galán». Esta dama, buscando la oscuridad, es lo opuesto a la luz que irradiaba la dama de Herrera en su herencia petrarquista.

En esta poesía petrarquista existe siempre, incluso después de la muerte de la amada, un anhelo de comunicación con ella, de tal modo que el verso se piensa dirigido a la posible lectura de la amada, a cuyo encuentro se dirige a veces directamente. Es, más o menos abiertamente, una conjugación de pronombres a través de la intimidad de la palabra construida para la *lectura*. En la comunicación de Alcázar con su Ana, Inés o Juana no se da este carácter de lectura, que es sustituido por un carácter oral. O el poeta habla a otro de su Inés, como en «De la boca de Inés puedo», en la idea de que no será leído por ella (quizá por analfabeta), o bien la aborda con despreocupación realística o se dirige a modo de conversación, más o menos escenificable. En este último caso se encuentra la famosa «Cena jocosa».

La «Cena», que ofrece dos lecciones según los códices, haciendo variar el lugar («En Jaén, donde resido» / «En Ronda, donde resido»), manifiesta claramente su carácter de conversación en la que se supone el hablar o responder de Inés, a quien el poeta se dirige dándole noticia:

En Jaén, donde resido,
vive don Lope de Sosa,
y diréte, Inés, la cosa
más brava dél que has oído.
Tenía este caballero
un criado portugués...
Pero cenémos, Inés,
si te parece, primero.

Estas dos estrofas iniciales nos sitúan ya en la escena poética, donde el poeta da cuenta a Inés del lugar en que reside (luego está de visita), marca el carácter oral («diréte»), enuncia el argumento que será interrumpido («tenía este caballero...») y propone una acción («cenémos») que será protagonista. La composición de Alcázar, en la que Inés sirve al poeta («Rebana pan...», «arrójame la bota...») se mueve así en una ambientación realista, de tono epicúreo, en la que el propio asunto de exaltación del vino, la morcilla o el queso es una oposición al ambiente ideal de ayuno que habita el petrarquismo. La función de la dama en esta poesía se mueve como la de un elemento más propiciador de goce, cuya equivalencia manifiesta la también famosa «Tres cosas me tienen preso». Es indudable que esta Inés de Alcázar es una anti-donna cuya posición arranca de su servir al poeta frente a la situación de servicio a la dama que señalaba el petrarquismo con su ascendencia en la lírica provenzal.

En la edición de Pacheco de los *Versos* de Herrera aparece la sextina provenzal «Un verde Lauro, en mi dichoso tiempo» que, con su apego petrarquista, es como la historia poética de un poeta que al perder a su amada (Lauro) pierde su posibilidad de canto y gloria. Es una sextina teórica. Creo que todo lo contrario de esta posición gentil de la amada representa la «fregona» de la sextina de Alcázar «Traté en mi mocedad, por fatal orden», rematada irregularmente con una estrofa de seis versos que remiten en su orden de rimas a la primera, como si fuera a iniciarse una sextina doble.

Como palabras-rima escoge Alcázar tres términos tan empleados por Herrera como nieve, ojos y oro, a los que contrapone otro, cuernos, que obviamente no entra en el vocabulario de Herrera sino en su sentido culto, de aplicación mitológica para el curso de los ríos Bágrada (el tunecino Magrida) o Betis, que «tendío los cuernos úmidos». Y frente a la *donna* otorgadora del lauro poético sitúa Alcázar su *anti-donna* Inés, otorgadora de cuernos en su sentido realístico:

> Traté en mi mocedad, por fatal orden,
> una fregona de hermosos ojos,
> de un mezclado color de grana y nieve
> y de un cabello de madejas de oro,
> un mes al justo; porque en este tiempo
> me puso de propósito los cuernos.

Sin que falte la parodia de lo que el oro y plata valen «para encender un corazón de nieve», o la incorporación del adynaton («que la sierre de Ronda diere nieve») acogido por Petrarca y Herrera, la sextina de Alcázar es también, como la citada de aquél, una historia amorosa que, desde el presente del poeta, parte de aquel tiempo de mocedad en el que «no sabía yo entonces qué eran cuernos». La situación es históricamente análoga, en un «dichoso tiempo» ambos poetas, y la gran diferencia está marcada por la protagonista femenina: en Herrera, era un «verde Lauro» quien «mi frente coronava», mientras que el Alcázar es «una fregona» quien corona con cuernos al poeta. La dirección antitética de ambas sextinas viene señalada básicamente porque a la *donna* petrarquista de Herrera se enfrenta la *anti-donna* de Alcázar, como a la espiritual Beatriz de Dante se opuso la Becchina carnal de Cecco Angolieri.

Esta dibujada oposición poética entre el divino Herrera y Alcázar, contertulios en reuniones académicas o poéticas, enseña un poco la variedad y amplitud de los poetas sevillanos, a cuyo camino se incorporan otros como Barahona de Soto. Entre los sevillanos, y nacido en 1543, Juan de la Cueva es un irregular escritor crecido en la área cultural de Mal Lara y acaso excesivamente preocupado de su yo y la gloria que deseaba alcanzar. Líricamente enamorado de una *donna*, Felipa de la Paz, con cuyo nombre juega acrósticamente, tal amor no es capaz de generar una lengua poética personal que lo exprese en historia, por lo que no es extraño contrastarlo con un realismo en el que, estando en la villa de Aracena, la expresa a Fernando Pacheco que va «convirtiendo mis ansias en jamones / y en muy buenas gallinas mi cadena». Sonetos como «Ojos bellos, suaves y piadosos» o «Tiéneme amor en un vivir incierto», se mueven en una tradición amorosa escasamente personalizada que el poeta parece advertir cuando dirige a Alcázar el soneto «Con el tiempo huyendo van mis años», que sitúa en su melancolía la duda poética sobre su obra, que igualmente aparece en otras composiciones, pese a que en su genealógica *Historia de Cueva* se retrató posesionado de «docta musa», y «lira artificiosa».

Autor en su *Coro febeo* de romances de escasa novedad y de un *Viage de Sannio* de prosaicas octavas, tal vez lo que mejor pueda llegarnos del Cueva poeta sean dos poemas narrativos de argumento mitológico y *La Muracinda*. De los dos poemas mitológicos, el *Llanto de Venus en la muerte de Adonis* se constituye en uno de los más felices ejemplos de fábula mitológica del renacimiento español, con acertadas intercalaciones como el correr de la diosa «ardiéndose en amor la que enamora» en busca del amado, tiñiendo las rosas blancas con su «purpúrea sangre» al ser herido por las espigas. Y estimo que en este *Llanto* consigue Cueva sus mejores logros poéticos porque el poema, en el que no cabe sospecha de fusión mítica, se conduce siempre atento a su argumento objetivo, sin que el poeta penetre en él con esas dudas y advertencias poéticas personales que son obsesivas en otros ejemplos de su *corpus*.

Si por su *Exemplar poético,* donde se cita el procaz cuento en verso de «El sueño de la viuda», Cueva ha sido relacionado con el Lope del *Arte nuevo,* creo que esta relación se mantiene entre *La Muracinda* y la *Gatomaquia,* dentro del curso de la épica burlesca mantenido por el renacimiento. *La Muracinda* es la animada guerra entre perros y gatos provocada por la innoble muerte de una gata, por nombre Muracinda, que da título al poema.

La mezcla de dioses y hombres de la épica clásica es aquí mezcla de hombres y animales, y a la persecución de Tribugena por el cura se une el aviso de la muerte de Muracinda que lanza Mardux, «un gato amigo», al que acude pronto Tusicol, que «era un gato montes, de grande cuerpo», y que Cueva describe con eficaz tino épico. Se inicia así la histórica guerra entre canes y gatos, que acabará con el triunfo de éstos, y por donde aparecen pronto un perro Lautaro, que inmediatamente evoca al héroe araucano del poema de Alonso de Ercilla, así como el gato Nusco, capaz de volar envuelto en nubes, trae a la memoria la magia épica, y Panusco, «escritor de pauta», la herencia historiadora del Pseudo Turpín.

Menor nombre que Cueva tienen otros poetas como Cristóbal Mosquera de Figueroa, nacido en 1553, quien escribió una excelente «Elegía a la muerte de Garcilaso», donde, llevado por su *simpatía* hacia el poeta toledano, supo muy bien desplazarse al sentimiento garcilasiano y desplazarlo luego a la elegía. Es natural así que en la poesía de Mosquera se recuerde o reconozca el verso de Garcilaso, que a veces convierte a lo divino, como en «¿A dónde están Señor, los claros ojos...» que fácilmente remiten al «Do están agora aquellos claros ojos» de la égloga I del toledano. Pertenece la citada composición de Mosquera a su poesía religiosa extendida en torno a la Crucifixión. Por otro lado, glosas a un villancico o una letrilla, donde Mosquera se mueve con ágil acierto, están mostrándonos la práctica de los sevillanos en una poesía tradicional que no dejó de manar y en la que se ejercitaron poetas como el extremeño Joaquín Romero de Cepeda. Entraríamos por este camino en un amplio cultivo de la poesía, donde por un lado los «poetastros y poetantos» sevillanos gastan una tradición en romances, coplas y modos cancioneriles, y, por otro lado, poetas como Herrera se aplican al ejercicio de la manifestación cancioneril con cuidada perfección reivindicadora.

11. LA POESÍA DE FERNANDO DE HERRERA

Herrera representa admirablemente al poeta asentado en su ciudad, encerrado en su círculo, que sucede al poeta peregrino que anduvo por Europa, asimilando horizontes, al paso del Emperador. También en ello es muy distinto de su modelo Petrarca, sintiendo la ira del destierro, conjugando la acción política por Roma e Italia y la contemplación en su casa de Vaucluse, «transalpina solitudo mea iocundissima». La biografía de Herrera es una vida sin relieves humanos, sin el contraste petrarquesco entre unos hijos naturales y una necesidad de Laura para existir en la gloria de la palabra, sin esa *accidiam*, «affinis tristitiae», que constituye la tensión petrarquesca. Por ello me parece de todo punto desenfocada la afirmación de Rodríguez Marín de que en la poesía de Herrera «casi todo es autobiográfico».

Dos años después de las *Anotaciones*, que de alguna manera la escudan, publica Herrera sus *Algunas obras poéticas*, para las que selecciona 78 sonetos, siete elegías, cinco canciones y una égloga venatoria. Ésta es la plena voluntad de expresión poética de Herrera, al menos en aquellos años en los que poco antes había muerto Leonor de Milán, y el poeta organiza su edición en una clara intención de cancionero petrarquista desde su soneto-prólogo, que lo personaliza en la huella de Petrarca y Garcilaso. No cabe duda, como certeramente señala Blecua, del cuidado editor de Herrera, repitiendo escrupulosamente con el impresor Pescioni lo ya realizado con la edición de las *Anotaciones*. Las *Algunas obras* se presentan, pues, como un *corpus* textualmente fiable y con una organización plenamente voluntaria por parte del poeta.

Cabe pensar que Herrera, a partir de 1582, se dedicó a obras donde exponer mejor su vocación de sabio, que tanto había mostrado con la variedad comentadora de las *Anotaciones a Garcilaso,* aunque ello no chocara con su pulir antiguas composiciones poéticas y realizar otras nuevas. El hecho es que en 1619 aparece la edición de Francisco Pacheco de *Versos* de Herrera, distribuidos en tres libros no muy bien ordenados, y que suponen un notabilísimo aumento del *corpus* poético herreriano. Con el tiempo, este conjunto se iría incrementando, tal como puede seguirse con las ediciones de José Manuel Blecua y de Cristóbal Cuevas.

Se inicia *Algunas* con un soneto-prólogo, acorde con un sentido de cancionero, pero que marca un tiempo personal poético en el que el ofrecimiento como *exemplum* del *Canzoniere,* que sigue un Hernando de Acuña, tiene especiales matices. Y se inicia, en su primer endecasílabo, con ese osar y temer que preanuncian la confusa relación («dudoso está en confuso sentimiento») entre imaginación y realidad, acción y contemplación, concreción y abstracción, aliento y desengaño, que iría marcando el curso de los poemas.

El soneto no enuncia (tampoco lo hace el proemial de Petrarca) la totalidad conflictiva de *Algunas* y aunque el «gasté en error...» pueda evocar el «giovenile errore...» petrarquesco, su posibilidad de *exemplum* queda diluida ante el sentido de fatalidad amorosa («sigo al fin mi furor...») que preside la composición. En este valor, que se refrenda en el siguiente soneto «Voi siguiendo la fuerza de mi hado», el soneto-prólogo es apertura de una pasión, cuyo daño se ve («aora veo»), y que admite intuir la trayectoria del cancionero como una lucha entre la entrega al amor y el ansia de liberarse, que finalmente llega, como soneto-cierre en la composición final («Abra la luz la niebla a tus engaos...»). Ya esto es una historia, o parte de una historia que se proyecta, desde un presente, en consecutivos fragmentos.

Pero el soneto-prólogo herreriano, digo, no enuncia la riqueza textual de *Algunas,* aunque carguemos de ambigüedad el endecasílabo «subí a do el fuego más m'enciende i arde». Tendríamos que aislar este endecasílabo del soneto y colgarle todo un valor metafórico para hacer descansar en él lo que no enuncia el soneto: cómo el amor, la luz de la amada, transfigura al poeta convirtiéndolo por la belleza y cómo en el canto de ese amor halla su gloria el poeta. El soneto III, «Pensé, mas fue engañoso pensamiento», con su conocida ascendencia bembiana, nos encamina ya en sus tercetos por el «fuego» que irá ardiendo en el cancionero, por una luz que justifica el uso de parónimos heliocéntricos (Sol, Luz, Lumbre, Aglaia, etc.) con los que Herrera denomina a su amada.

Me parece evidente que la lectura de *Algunas* permite la afirmación de que se trata de seguir un cancionero petrarquista, al que le faltan los poemas *in morte* de la amada. Si bien este apuntado cancionero puede ampliarse notablemente con llevar a él composiciones de las recogidas por Pacheco en su edición, y tal como señalé en otras páginas, puede conjeturarse que el silencio poético de Herrera, en cuanto a editar poesías que fortalecieran el esbozo de *Algunas,* es un silencio editorial que señala un cambio de criterio quizá asentado en la poca convicción de su poesía amorosa, en cuanto sincera historia de amor, y quizá también debido al curso que había seguido la poesía petrarquista, alejándose un tanto de la *narratividad* del *Canzoniere* petrarquesco. Pero en *Algunas,* como digo, es evidente el trazado de una historia, con la mirada del poeta en su Luz para con su luminosidad ascender a contemplar el entorno, y con el entendimiento de la amada como inspiración otorgadora de palabra, tal como expresa la elegía II:

> Este dolor, que nuevo siempre siento;
> esta llega mortal, contino abierta;
> este grave y perpetuo sentimiento...
>
> No es amor, es furor jamás cansado;
> rabia es, que despedaça mis entrañas,
> este eterno dolor de mi cuidado...

El poeta sigue el proceso de su análisis amoroso hasta reconocerse nacido para la amada: «Naci para inflamar m'en la pureza / d'aquellas vivas luzes...» Son los ojos de su Luz, «essos divinos ojos, que... m'an ya transfigurado», con lo que claramente, entre la tensión de amar, comienza abiertamente el cauce de conversión del poeta que no estaba enunciado en el soneto-prólogo.

En el soneto XXI, que sigue a la canción «A la rota del rei don Sebastián», el poeta sevillano se dirige directamente a la amada «... no os ofenda mi flaqueza / bella Estrella d'Amor...», estableciéndose una comunicación directa entre el poeta y amada que culmina con la transformación del alma de aquél en la belleza contemplada. En el soneto XXVII, el rostro encendido de Estrella, vueltos sus ojos hacia el poeta, imprimen en él su forma:

Con él mi alma, en el celeste fuego
vuestro abrasada, viene, i se trasforma
en la belleza vuestra soberana
I en tanto gozo, en su mayor sosiego
su bien, en cuantas almas halla, informa;
qu'enel comunicar más gloria gana.

El poeta es único por la impresión de la amada en su alma, y la comunicación entre ambos adquiere su representación en la elegía III, extendida como diálogo que «este amador ufano» reproduce para la «callada Noche». Es lógico que a esta altura, y como constante en la dimensión del cancionero, el poeta se haya ido manifestando en su tensión amorosa entre esperanza y desengaño, con las clásicas lamentaciones de ingratitud. Pero es una tensión admitida y cultivada, como engendradora del ser poético, que provoca la exaltación de la amada, como en el soneto XXXIII, «Ardientes hebras, do se ilustra el oro». Estamos así ante una posesión del amor, como latido generado en la amada, donde si ésta falta llevada por la muerte es lógico que el poeta quiera acompañarla. En el soneto «Alma bella, que en este oscuro velo», aparece la idea tradicional y tan recogida por el renacimiento del cuerpo como cárcel donde habita desterrada el alma. Sin embargo, creo que en este excelente soneto, sobre el motivo expuesto en los cuartetos adquiere mucha mayor entidad la petición de los tercetos, cercana a aquel pedirle Garcilaso a la «divina Elisa» que lo llevara a su mundo, donde «pudiera estar contigo sin miedo y sobresalto de perderte». El poeta sevillano le pide a la amada, que ha «roto el mortal nudo»:

> Buelve tu luz a mí, i d'el centro tira
> al ancho cerco d'inmortal belleza
> como vapor terrestre levantado,
> este espíritu opresso, que suspira
> en vano por huir d'esta estrecheza
> que'impide estar contigo descansando.

Se trata, tal vez, de una de las más claras expresiones de unión con la amada que presenta el cancionero herreriano, análogamente a como Laura cobra su más definida presencia en la parte *in morte* del *Canzoniere*. Creo que ello reafirma la idea de que en la mente de Herrera anidara la realización de una parte *in morte* en la que posiblemente adquiriría mayor entidad como persona su Luz. Pero tal idea no la escribió, o quizá se perdiera en el naufragio que sufrió su poesía, dejándonos sin unos poemas *in morte* que hubieran acrecentado la gran belleza y musicalidad que adorna su perfecto conocimiento del endecasílabo.

Junto a la poesía amorosa, modelo de lengua poética que avanza sobre la garcilasiana, en Herrera domina el deseo, por prestigio, de realizar una poesía épica. Si bien nunca realizó un poema de dimensión épica, sí culminó una serie de composiciones de argumento heroico (o panegírico) como la elegía frecuentemente llamada «Al desengaño», bellamente conducida por un sentimiento de la caducidad.

La derrota de Alcazarquivir (y fue por ello ampliamente recogida) no sólo era la muerte de un príncipe y sus caballeros, cuyos cadáveres se perdieron, sino la muerte de un ideal que habría que explicar con otra lógica sin dejar de moverse elegíacamente. Herrera apela a los versículos bíblicos y claramente en su segunda estrofa deja caer el castigo divino sobre el orgullo caballeresco.

Ya en *Versos* (I, LXVII) encontramos un soneto, quizá más joven, que no esquiva la gloria de los derrotados en Alcazarquivir, no obstante la «soberbia cierta» que los guió. En el soneto, esas «almas generosas» podrán ir dichosas y la Muerte no osará negar «que sois eterna Luz i prez de España». Los «ecelsos eroes» de Alcazarquivir merecen la memoria y Pacheco recoge otros sonetos en los que el poeta sevillano acoge contra el olvido la derrota africana, fuera de la explicación bíblica, haciéndose eco de quienes la justificaron porque una parte del ejército portugués huyó cobardemente contra el ejemplo de su príncipe y el capitán Aldana («Infamia i onra en un error condenas / al coraçón cobarde i al valiente»).

Si Alcazarquivir fue en Herrera argumento poético, con atractivo que sigue Barahona de Soto en su «Canción por la pérdida del Rey Don Sebastián», Lepanto y Juan de Austria eran, como en tantos otros, páginas de una realidad histórica abocada al tratamiento poético. Con la notable diferencia de que el elemento bíblico que justificaba la derrota de Alcazarquivir se une en la canción «por la vitoria del Señor Don Juan» a un espíritu patriótico que termina fundiendo al héroe y pueblo como exaltación de una España predestinada.

Con toda su perfección formal, armonizando a Píndaro y Horacio, con todo su saber cincelando el verso por ciencia, con todo su allegar cultura clásica y bíblica al argumento poético, creo que las canciones heroicas de Herrera manifiestan su ausencia de dimensión épica y que en ningún caso permiten medirse como esbozo de un poema que pudiera concurrir con la épica renacentista. Y creo que es en la concentración de algún soneto de tema histórico, como Castelnovo o Alcazarquivir, o en la precisa belleza de su célebre canción «Voz de dolor i canto de gemido», donde Herrera manifiesta, por la ayuda lírica, su mejor testimonio hacia una épica que sólo sintió como virtud cultural.

Queda para final la poesía en metro castellano y que

no supone como en Hurtado de Mendoza o en Montemayor, una alternancia de la medida expresiva del poeta Herrera. Quiero decir que la poesía cancioneril de Herrera no comunica un real sentimiento humano necesitando existirse en palabra, sino que nos transmite su saber poético como ejemplo práctico de entender la poesía como ciencia. Es posible que en su ejecutoria cancioneril esté latente demostrarle a los malos continuadores del *Cancionero General* cómo se debía hacer esta poesía, o que quisiera avanzarla, como al endecasílabo, hasta las puertas barrocas. El hecho es que construye una poesía en la que es difícil hallar un rasgo personal y donde se manifiesta obediente a las pasadas normas del amor cortés y se muestra tan conformado por los poetas de cancionero que, en «Ufano muero en mis males», hace concluir cada dos quintillas propias con versos de Macías, Guevara, Manrique, Sánchez de Badajoz, el Comendador Escrivá, etc. Evidentemente, el de Herrera es un uso del metro castellano muy distante del curso que va de Hurtado de Mendoza a Baltasar de Alcázar.

12. EL ABANDONO POÉTICO DE F. FIGUEROA

Al igual que Hurtado de Mendoza, en Francisco de Figueroa se cumple una habitabilidad italiana que configura su petrarquismo. Veamos un solo contraste: en las *Anotaciones* de Herrera se advierte todo un saber poético extendido al hilo de los textos garcilasianos, para cuyo petrarquismo acude a líricos como los recogidos por Girolamo Ruscelli en *I fiori delle rime dei poeti illustri*. En este saber, cuando Herrera atiende el soneto garcilasiano «De aquella vista pura y excelente» y se detiene en los «espiritus subtiles» recoge para su comento el ejemplo de Giamoco Marmitta, uno de los petrarquistas presentes en la citada antología de Ruscelli. Es decir, explica el verso garcilasiano a través de los poetas petrarquistas que siguieron, y disolvieron en parte, a Petrarca, olvidando en este caso a Guido Cavalcanti, quien conquistó el término escolástico de los «espiritus subtiles» para la poesía, en grado que siguieron estilnovistas como Dante en su canción «Donne ch'avete...» de la *Vita nuova*. Frente a este *olvido* de Cavalcanti por Herrera, frente a su relegación de los poetas anteriores a Petrarca, y que están en la formación de su lírica, la habitabilidad italiana de Francisco de Figueroa le permite vivir la predicación renacentista de conocer a un poeta y a los que de algún modo están en su formación, con lo que se producía un personal enriquecimiento expresivo. De este modo, en el petrarquismo de Figueroa, y distintamente a Herrera, cobran una especial importancia dos poetas anteriores a Petrarca como Guido Cavalcanti y Cino da Pistoia.

Esta distinción (que no cabe aquí sino como anuncio del uso acomodaticio que hacemos de términos como petrarquismo y platonismo) se refrenda si contrastamos el toscano *leído* de Herrera con el toscano *vivido* por Figueroa, y que espléndidamente se manifiesta en aquellas elegías en las que Figueroa va alternando, con singular armonía, endecasílabos castellanos y toscanos. Pero, sobre todo, esta distinción se resiente un tanto por el abandono de su poesía que realiza Figueroa, cuando en Alcalá, asistiendo en la Universidad, nos cuenta su editor Tribaldos que Figueroa «ya no trataba de poesía sino de materias de diferente punto, según la madurez de su edad». Que Figueroa abandonase su poesía, queriendo incluso destruirla, la privó no ya de un cuidado formal sino de una sistematización que fortaleciera y completara, junto al desarrollo amoroso, el personal camino doctrinal que la distingue. Con todo, y salvando irregularidades, es una ejemplar poesía cuyo tono de sabiduría renacentista explica que Cervantes la admirara y citara en *La Galatea* como producto de un poeta cultivado en «reales cortes y conocidas escuelas», que fueron principalmene las de Roma, Bolonia y Siena.

En la poesía de Figueroa creo que hay un soneto, «Partiendo de la luz, donde solía...», que ilumina bastante su doctrina lírica dentro del correr platónico, repetido por León Hebreo, de que el amor es el deseo de gozar la hermosura. La contemplación de la belleza, manifestada básicamente en la gracilidad del movimiento, generaba el amor en el poeta, especialmente a través del movimiento de los «espiritus subtiles» salidos de los ojos de la amada. Con ello se conjugaba la consideración humanista de un Francesco Filelfo entendiendo al hombre como una especial unidad *(tertium quiddam)* derivada de la unión del cuerpo y el alma, unidad que se rompía al morir el cuerpo, desapareciendo el hombre. En este camino de explicación amorosa por conceptos filosóficos se halla el soneto de Figueroa, al igual que tiempo atrás había llevado Cavalcanti conceptos de la filosofía para su comunicación lírica. En el soneto de Figueroa, que teóricamente parte de la acción señalada del garcilasiano «De aquella vista pura...», encontramos primeramente el reconocimiento de cómo de la luz (espíritus) de los ojos de la amada vivía el poeta. Pero inmediatamente, el rostro amado se aleja y entonces

> El alma desechó la compañía
> del cuerpo, y fuese tras el rostro amado...

La ida de la amada, llevándose el alma del poeta, ha supuesto la ruptura de su unidad de hombre, quedando «ciego y con hambre, y sin el alma mía». El poeta, con «mil trabajos», podrá llevar su pensamiento al lugar donde amó, cobrarán incluso luz sus ojos por la voluntad, pero habrá quedado rota su unidad de ser hombre porque, dice finalmente el poeta, «no tornará el alma a su nido».

Acaso esta *idea* amorosa expuesta en el citado soneto conjunta una serie de composiciones detenidas en el abandono de la amada, y donde el poeta se representa en Tirsi e insiste en la separación en él del cuerpo y el alma. Hasta el punto que tal idea da gravedad a un madrigal, «Triste de mí que parto, mas no parto», en tiempos donde la *piacevolezza* del madrigal, cantado por damas como las Stampa en Venecia, marcaban la disolución del petrarquismo. En su madrigal, vestido por el conceptismo, Figueroa insiste en el partir disociador de su cuerpo con él, y de su alma con la amada, conjeturando que

> si parte el cuerpo triste, el alma queda
> gozosa, ufana y leda,
> sí. Mas del alma el cuerpo parte y temo
> (¡oh, doloroso extremo!)
> que en esta de los dos triste partida,
> por fuerza ha de partirme de la vida.

Indudablemente este madrigal de Figueroa está en otra latitud significativa que el célebre de Gutierre de Cetina, y abona su argumento en una intensificación del petrarquismo donde si sonetos como «Bien puede resolver seguro el cielo», con su juego de antítesis, indican el modelo del «Pommi ove 'l sole...» petrarquesco, otros como «Oh espiritu subtil, dulce y ardiente» indican con su dependencia de Cavalcanti ese ir de Figueroa a los poetas anteriores a Petrarca que advertí atrás.

En ocasiones, como en el soneto «A la sombra de un olmo, al nuevo día», Figueroa amplía su proyección mediante la representación en Tirsi que ve el poeta, lo que está cercano, naturalmente, al valor narrativo y de representación de las églogas, e incluso a la escenificación de su conocida canción «Sale la Aurora de su fértil manto», desarrollada en acertada contaminación con la pastorela, y que podríamos sumar, en su desarrollo de canción, a las apuntadas distinciones con Herrera y el petrarquismo a él llegado.

Dos amigos de Figueroa, Ramírez Pagán y Pedro Laquez, explican en su poesía, con inferior fortuna, algún punto del discurrir poético de Figueroa, compartiendo posibilidades de autoría. El primero de ellos, nacido en 1524, publicó en Valencia su *Floresta de varia poesía,* donde misceláneamente ejercita desde el soneto encomiástico a la poesía religiosa, dejando un buen centro para una poesía amorosa donde el poeta se llama Dardanio y la amada Marfira. El segundo, Pedro Laynez, nacido hacia 1538, es un poeta «residente en Corte» cuya poesía, como la de Acuña, fue malamente editada póstuma por su viuda. Falto, al igual que Ramírez Pagán, de un mundo poético propio, sí manifiesta su relación con trayectorias de la época, como en la égloga

«Después que en varias partes largo tiempo» que dialogan Damón y Tirsi, posible representación de Laynez y Figueroa, y es probable que por la autoridad de Figueroa las canciones de Laynez participen un tanto de la contaminación pastoril, sin que ello, como el petrarquismo de sus sonetos, le proporcione demasiada categoría poética.

13. FRANCISCO DE ALDANA

Con Francisco de Aldana, posiblemente nacido en Nápoles en 1537, estamos ante otro gran poeta que vive su formación en Italia, muy joven en la Florencia que, protegida por España, regía Cosimo I de Médicis, casado con doña Leonor de Toledo, y propietario y reformador del famoso Palazzo Pitti. En toscano escribe Aldana, con motivo de la muerte de Leonor de Toledo, acaecida en 1562, el soneto «Ben grand'avria cagión...», que es respuesta a otro de Benedetto Varchi, impulsor en parte de la poesía y lengua florentinas. Y como a Figueroa, también Cervantes recuerda a Aldana en *La Galatea* por medio de la ninfa Caliope y cuando ya el poeta ha perdido la vida en la triste jornada de Alcazarquivir de 1578. De Florencia a la arena africana, donde muere el poeta con el rey Don Sebastián, corre un curso que va interiorizando, profundizando una poesía que culmina en la gran calidad emotiva de la *Carta* dirigida a Arias Montano.

Es muy probable que una parte de la poesía cortesana de Aldana, en italiano y castellano, esté perdida, y su hermano Cosme jura haber visto quemar unas obras pastoriles. Tales pérdidas y quemas que recuerdan la voluntad de Figueroa señalan el desprendimiento de Aldana hacia una poesía de más o menos belleza de la que se sintió distante luego en su proceso de interiorización espiritual. Pero tal desprendimiento no indica que esa poesía «florentina» de corte y la detenida luego en la acción militar no sea una poesía que está en la culminación contemplativa de la *Carta* a Arias Montano. Porque precisamente el ansia de contemplar y contemplarse de la *Carta* halla su mejor razón en la autenticidad de desprenderse o superar lo que se ha existido. Quiero decir que el Aldana cortesano y soldado fueron una realidad cuya experiencia son parte de un proceso que aboca en el estado contemplativo.

La educación de Aldana se inicia en la Florencia que ordena la teoría poética de B. Varchi, aunque ya el *Dialogo della infinitá d'amore* de éste no esté en el neoplatonismo de León Hebreo o en la posición amorosa de Castiglione. Sin embargo, en esta educación, y por lo que el verso de Aldana se apareja con la *consolatio,* se anuncia ya una detención en la existencia que permite advertir el inicio del proceso poético de Aldana, en cuanto proyección de sí mismo como camino humano. En este camino, tanto por formación renacentista como por edad, es lógico que discurra una poesía de expresión amorosa que beba a veces en Catulo, que alterna (al igual que Figueroa) endecasílabos castellanos e italianos bajo motivos petrarquescos o que se apega a las oportunidades expresivas y argumentales que propiciaba la materia mitológica. Es el poeta que en la norma *courtoi* que acoge la corte renacentista de Castiglione expresa, por ejemplo:

> ¡Ay dura ley de amor que así me obliga
> a no tener más voluntad que aquella
> que me ordena el rigor de mi enemiga.

O el que naturalmente recurre a Ícaro y Faetón, o a Venus, o a la súplica pagana que alimentaba el curso de la pastoral o a motivos petrarquescos, a los que a veces desnuda de idealismo, o a la ensoñación erótica. En esta trayectoria, sonetos como «¿Cuál es la causa, mi Damón, que estando...», creo que están marcados por una dirección sensualista asentada en la experiencia amorosa, frente a ideales neoplatónicos tejidos en torno al amor y a la consumación del deseo, ostensible en sonetos como «Mil veces digo, entre los brazos puestos...» e incluso en las «Octavas a lo pastoral», en las que el poeta anima a la práctica sexual en unas bodas no sólo a los novios, sino a los padres de éstos. Pero en este discurrir cortesano que Aldana vive en su juventud italiana ya es significativo, y no contradictorio, que el poeta acuda a su realismo para unas *imaginadas* octavas sobre el Juicio Final o que armonizando motivos bíblicos con Virgilio y Horacio componga las incompletas octavas «Sobre el bien de la vida retirada».

De la latitud florentina (con lo que Italia seguía siendo «mi ventura») pasa Aldana a Flandes, desde donde escribe una larga *Epístola* a su hermano Cosme. Entiendo que esta epístola es crítica en el sentido de que en ella aflora la nostalgia del tiempo florentino, con la ninfa Galatea cantando por sus montes, y la reconversión de este tiempo ante una nueva acción de vida que conducirá al estado contemplativo. La Epístola se fecha en Bruselas en 1568. Es muy posible que en este mismo año, y un poco después, Aldana escriba unos tercetos a un su amigo en los que contrasta la acomodada vida cortesana y la vida del soldado, con rasgos ésta que luego encontraremos en Rey de Artieda. Con el anafórico uso de «mientras», el poeta va oponiendo la vida de su amigo cortesano a la vida de la milicia en guerra, y donde no es inoportuno pensar que en el cortesano amigo se refleje (y repruebe) en algo el propio poeta que también anduvo en corte con las «blanduras de Cupido, publicando llorosa historia». Termina su contraposición Aldana:

> Mientras andáis allá metido en todo
> en conocer la dama, o linda o fea,
> buscando introducción por diestro modo,
>   yo reconozco el sitio y la trinchea
> de este profano a Dios, vil enemigo,
> sin que la muerte al ojo estorbo sea.

Con el cambio de vida va adentrándose Aldana en una poesía religiosa que aúna emotividad y doctrina, como las octavas dedicadas «A Dios nuestro Señor» o el soneto «A Nuestra Señora», o especialmente el poema «Parto de la Virgen», de aliento épico, en el que sigue el *De partu Virginis*, de Sannazaro, desoyendo acertadamente la acre censura vertida sobre el poema latino por Erasmo, acusándolo torpemente de formalismo pagano y negándolo ante un solo himno de Prudencio. En esta línea de meditación comprendo su ignaciano soneto «Otro aquí no se ve que, frente a frente», donde leo que el poeta aprecia la milicia, en acción bélica, como el estado donde con más intensidad se mide la existencia y acaso el que, desgraciadamente, le conviene para saberse en su frágil realidad. De ahí que el endecasílabo final «Oh solo de hombres dino y noble estado!» participe de una amarga ironía que baña de ambigüedad al soneto, porque es triste que la guerra, vecina de la muerte, sea el estado que enseñe al hombre su caducidad y con ella el camino de la meditación salvadora.

Excelentes sonetos como «Dichoso monte en cuya altiva frente» o «Si el sumo amor, la voluntad divina», manifiestan espléndidamente el curso de interiorización de Aldana, en el que a veces muestra su abatimiento, como en «Mil veces callo que romper deseo», y otras duda (en pensamiento que centrará el pesimismo de Leopardi) si el desconocerse (la ignorancia) no reportará más felicidad que la introspección. Estamos en el final trayecto de una gran poesía que siente el cuerpo como cárcel del alma que disminuye su natural anhelo de retorno al origen, un camino que se aligera despreciando la vanidad del mundo y adentrándose en la contemplación. Es el camino que reconocen sonetos como «En fin, en fin, tras tanto andar muriendo», «Clara fuente de luz, nuevo y hermoso», o «Señor, que allá de la estrellada cumbre», con los que llegamos a la culminación poética de los tercetos que componen la tan admirable «Carta para Arias Montano sobre la contemplación de Dios y los requisitos della».

La *Carta* a Arias Montano, escrita en septiembre de 1577, recoge desengaños cortesanos como aquel expresado a su hermano Cosme:

No quiero entrar en este abismo y centro
oscuro de mentira, en esta inmensa
de torpe vanidad circunferencia...

O recoge, más intensamente, el desprecio por las rivalidades y ambiciones materiales que en las octavas de la vida retirada le condujeron, como a fray Luis, al encuentro horaciano del «Beatus ille». La epístola está dirigida a un amigo, Arias Montano, cuya perífrasis poética del *Cantar de los cantares* tan en cuenta fue tenida por fray Luis de León. Dije poco ha que era importante el destinatario en la dirección y sentido de toda obra literaria, especialmente cuando ésta participa de la *consolatio,* dirigida directamente a sí mismo, como en el citado caso de Cicerón, o dirigida por simpatía a un otro, tal como Santillana, con su senequismo, consuela en el *Bías contra Fortuna* a su primo el conde de Alba.

Aldana dirige su *Carta* al humanista Arias Montano, al que posiblemente trató en Amberes, en el círculo del famoso editor Plantino, y por el que manifiesta una especial simpatía. El gran humanista, como fray Luis, ansiaba una vida retirada, que cumplía contemplativamente en su aislamiento de Aracena cuando de él fue sacado por Felipe II para la dirección intelectual de El Escorial. Esta sincera y necesaria ansia de retiro, con sus oposiciones cívicas, cuando el retiro está enriquecido por saberes y la conducción contemplativa, simpatiza las inquietudes de Aldana y Arias Montano. Dirigirse a éste en su *Carta* era también dirigirse a sí mismo, existiéndose. Pero, al mismo tiempo, estaba el ciceroniano sentido de *charitas,* ya esbozado, propio del ejercicio virtuoso de compartir el amor, la amistad. Como en la epístola humanista, el receptor no era uno, el uno nominado, sino la amplitud de receptores a quienes pudiera alcanzar el mensaje como ofrecimiento en la *charitas.* Esta triple y unívoca dirección de la *Carta* de Aldana me parece importante porque esta *Carta* no estaría, indudablemente, entre aquellas composiciones de las que quería desprenderse el poeta, bien materialmente o bien volviendo sobre ellas para mostrarse en el didactismo del *exemplum.*

Bajo esta premisa, los dos primeros tercetos de la *Carta* quiebran cualquier evocación retórica para sentirse como el afortunado encuentro del poeta con un destinatario que se encontrase consigo mismo. Esta comunidad, con su invitación receptora, se explayará muy adelante, por el endecasílabo 294, cuando el poeta confiesa (e indirectamente nos invita):

¡Dichosísimo aquél que estar le toca
contigo en bosque o en monte o en valle umbroso
o encima la más alta áspera roca!
¡Oh tres y cuatro veces dichoso
si fuese Aldino aquél, si aquél yo fuese
que en orden de vivir tan venturoso
juntamente contigo estar pudiese,
lejos de error, de engaño y sobresalto,
como si el mundo en sí no me incluyese!

Existe en estos tercetos un indudable recoger de composiciones anteriores el manifestado desprecio del mundo, pero más íntimamente un deseo de compañía sin sobresalto de perderla, cercano al soneto «El ímpetu cruel de mi destino», citado atrás. Y naturalmente que este núcleo de tercetos es una búsqueda de salvación en la compañía, frente a la situación tan reiterada de soledad que el poeta había expresado apenas iniciada la *Carta,* tras la salutación a Montano: «yo soy un hombre desvalido y solo». Y piénsese que esta situación, «desvalido y solo», Aldana la siente cuando está bajo la protección influyente del Duque de Alba y es la persona de confianza de Felipe II, que, en esta consideración, lo envía junto al rey Don Sebastián, quien cobra por el poeta una gran estimación. Pero así como Arias Montano, solemnemente coronado como poeta latino y altamente reconocido por la corte, soñaba con un retiro en la ermita de la peña de Aracena, el capitán Aldana buscaba otro mundo de compañía no regido por la fugacidad. Al final de la *Carta* lo expresa:

Tú, mi Montano, así tu Aldino viva
contigo en paz dichosa esto que queda
por consumir de vida fugitiva.

Aldino era el nombre pastoril de Aldana dentro del poético bautizarse renacentista que tanto vivió en églogas. Pero aquí la nominación del poeta está lejos de aquella andadura amorosa de los Salicio, Damón o Tirsi que fuimos viendo, para aproximarse al ámbito espiritual de fray Luis en el que leía el *Cantar de los Cantares* asistido por Arias Montano. Pastor, también símbolo de guía, es en Aldino el *velamen* literario de un mensaje religioso que se opone a cortesanías y que acaso, como se dice de Montano en Aracena, pudiera tañer las campañas para convocar a conversación a los labriegos. Sería consumir con ellos la «vida fugitiva» hasta retornar al origen que el anhelante amor pedía. Es decir, estamos en el extremo opuesto de aquel pastor que se había expresado por su Galatea en sonetos como «Mil veces digo, entre los brazos puesto» o «Solías tú, Galatea, tanto quererme», y estamos ya en «esa cierta beldad que me enamora» que recoge la ansiedad de cielo («Oh patria amada...») del soneto «Clara fuente de luz, nuevo y hermoso».

La *Carta* a Arias Montano, titulada «sobre la contemplación de Dios y los requisitos della», es la adquisición de un estado contemplativo al que se ha llegado por un proceso requeridor de la soledad para encontrarse consigo mismo, lo que no significa culminación, sino situación en una vía, como el poeta expresa en el verso 45:

> pienso torcer de la común carrera
> que sigue el vulgo, y caminar derecho
> jornada de mi patria verdadera;
> entrarme en el secreto de mi pecho
> y platicar en él mi interior hombre
> dó va, dó está, si vive, o qué se ha hecho.

En esta vía, cercana a fray Luis, el capitán Aldana tenderá a situarse en lo creado como producto del amor de Dios que a Dios invita. El amor es el vínculo que une a la creación con Dios, en perfecto círculo, y esa creación conduce a Dios por el amor depositado en ella, de tal manera que la creación y la criatura se contemplan como un eco del «sobrecelestial Narciso amante». Nos hallamos en la cadena mística de Aldana, en su sentirse, con ecos neoplatónicos del *corpus dyonisiacum,* como poeta activo de Dios que inquietamente late por retornar a su origen.

Es evidente que los tercetos que inician el endecasílabo «Oficio militar profeso y hago» participan de la negación de una actividad, expresada como desengaño en otras composiciones, que le ha conducido al «soy un hombre desvalido y solo». Pero es que esa soledad, sentirse en ella, le era necesaria para encontrar la compañía de sí mismo de Dios. Con independencia de la relación que tienen estos tercetos respecto a composiciones como el «Mil veces callo...», me parece que no hay que extremar los tercetos como una contradicción de su vida militar, sino situarlos dentro del estado espiritual de la epístola. En tal estado, en ese momento de comunicación, es natural que el «oficio que profesa» responda a un estado contrario que, con su recuerdo y culpabilidad, lo aleja del camino hacia la expresión de su alma, «alzada sobre el curso humano», que ahora, en la epístola, persigue. En este sentido de dirección, la *Carta* no es sólo, secuencialmente, un progreso en el proceso de interiorización, que recoge y culmina coherentemente composiciones o estados anteriores, sino que es también la proclamación ante sí y el receptor del camino que desea seguir y expresa como un compromiso consigo mismo. Cumplido este compromiso, esta afirmación, Aldana recobrará luego («Mas para concluir tan largo tema...») una consideración de la vida más humana, en la que se ve en compañía de Montano recorriendo «las marítimas orillas». De alguna manera es como volver a la actividad, tras el estado y descripción contemplativos, como Teresa de Jesús volvía a los caminos polvorientos tras el éxtasis o su descripción como alternante y no opuesta vida. No podemos olvidar que en la proximidad de la *Carta* a Arias Montano el poeta escribe un Memorial a Felipe II solicitándole un lugar apartado «no con el fin de retirarme de las ocasiones, más para tener lugar de donde salga a ellos», y que en la pronta a rendir batalla de Alcazarquivir, el informe recogido por su compañero Diego de Torres nos dirá que el poeta «con la espada en la mano tinta en sangre, se metió entre los enemigos, haciendo el oficio de tan buen soldado y capitán como él era».

Retornando al estado de la *Carta,* Aldana se mueve desde un mundo sensible hacia un mundo poblado de inmutabilidades, aún «vida fugitiva», que preside el tiempo que todos los tiempos contiene. En aquel mundo sensible dice el poeta que

> pienso enterrar mi ser, mi vida y nombre
> y, como si no hubiera acá nacido,
> estarme allá, cual Eco, replicando
> al dulce son de Dios, del alma oído.

Este ser Eco, como criatura, del «sobrecelestial Narciso», encierra una humildad que se corresponde con el ser eco lo creado de Dios, hasta el punto «que un gusanillo le podría llamar su criador de lleno en lleno», y se corresponde con esa pasividad contemplativa que, reiteradamente, señala Aldana como propia, según su susceptibilidad, para esperar a Dios:

> Torno a decir que el pecho enamorado,
> la celestial de allá rica influencia
> espere humilde, atento y reposado.

Lo que reitera endecasílabos más adelante (231-236), en relación con la causa de donde proceden los sueños, análoga a lo expuesto en el comienzo del *Somnium Scipionis.* Escribe Aldana:

> Digo que, puesta el alma en su sosiego,
> espere a Dios cual ojo que cayendo
> se va sobradamente al sueño ciego...

Situar «el alma en su sosiego», en espera de la luz divina, implicaba abandonar el «cuerpo la terrena pesadumbre» o esa acción que desviaba la quietud contemplativa. Toda una serie de tercetos («Paréceme, Montano, que debería...») son encaminados por el poeta para manifestar, admirablemente, el sistema de comunicación con Dios, y son los que van apareciendo, cernidos por su estado comunicativo, recuerdos bíblicos y clásicos y el correr neoplatónico. Hasta que, como si saliere de su invitación contemplativa, recuerda que el receptor inmediato es el «dotísimo Montano», y entonces (vv. 285 y ss.) se detiene:

> Tratar de esto es sólo a ti debido
> en quien el Cielo sus noticias llueve
> para dejar el mundo enriquecido...

Creo que aquí la *Carta* enriquece su comunicación porque la admiración de Aldano por Montano es el implícito reconocimiento de en él poder seguir su mensaje contemplativo, tras la alusión a la actividad poética del humanista. Aldana se siente animado por la compañía receptora de Montano, pero no son los escritos de éste, sino su valor como término comparativo para tejer la alegoría, lo que el poeta desarrolla:

> Pareces tú, Montano, a la gran cumbre
> deste gran monte, pues vivir contigo
> es muerte de la misma pesadumbre.

Cuando poco más adelante el poeta dice a Montano: «El alma que contigo se juntare...», es realmente la gran cumbre, cercana al cielo, lo que el poeta está indicando para que el alma reciba su beatitud. El alzarse sobre la soberbia, la envidia, la murmuración, la vanagloria, la lujuria, la avaricia, etc., para sentir «el alma en su sosiego». Y es, obviamente, un ofrecimiento de compañía por amor para alcanzar el estado contemplativo:

> El alma que contigo se juntare
> cierto reprimirá cualquier deseo
> que contra el propio bien la vida encare.

Llegamos a la postrer parte de la *Carta*. Frente al dirigirse personal al destinatario («Pareces tú, Montano...»)

que acabamos de ver, y que sirve al montaje alegórico, el poeta parece dirigirse a un receptor anónimo:

> Mas para concluir tan largo tema,
> quiero el lugar pintar do, con Montano,
> deseo llegar de vida al hora estrema.

Son cuatro tercetos, porque inmediatamente («Quiero también, Montano...») se dirigirá al humanista. Sin embargo, entiendo que esos tercetos sirven perfectamente para desplazar el ofrecimiento anterior por una consideración más concretamente humana. Con una gran belleza lírica, por el cauce horaciano del «Beatus ille» Aldana va presentándonos su *locus amoenus*, no lejos de «el alta mar, con ondas bulliciosas», donde podría recitar de nuevo aquellos afirmativos endecasílabos casi iniciales:

> Ojos, oídos, pies, manos, y boca,
> hablando, obrando, andando, oyendo y viendo
> serán del mar de Dios cubierta roca...

Pero, al mismo tiempo, la descripción de *su* lugar es una clara invitación al concreto Arias Montano de la *Naturae Historia,* que enriquecería su curiosidad humanística en compañía del poeta. Le invita:

> Verás mil retorcidos caracoles,
> mil bucíos istriados, con señales
> y pintas de lustrosas arreboles...

Es, de nuevo, el movimiento de la concreta vida aspirando a un retiro en el que, contemplando, poder conjugar nuevamente el «desde Dios para Dios yendo y viniendo» manifestado en la *Carta*. Esta aspiración la fecha Aldana en Madrid, a 7 de septiembre de 1577, olvidado totalmente de su juventud florentina. En enero del 1578, el rey Don Sebastián escribía impaciente reclamando la presencia del capitán Aldana, quien llevaría al monarca el yelmo de Carlos V que éste utilizó en la campaña de Túnez, cuando tuvo de compañero a Garcilaso. Es ahora la famosa y anacrónica batalla de Alcazarquivir en la que Aldana desaparece y en cuyo fragor quizás tuviera un punto de contemplación para hermanar el soneto «Otro aquí no se ve...» con su *Carta* a Montano, impidiendo la muerte.

14. LA EXTENSIÓN PETRARQUISTA

Es evidente que el pronóstico de Boscán al final de su mensaje «A la Duquesa de Soma» se cumple excepcionalmente en la amplitud poética del siglo XVI y en una dimensión que no aciertan a recoger estas páginas. Pero, perdiéndole el respeto a la brevedad, escribiré de algún poeta como el vallisoletano Jerónimo de Lomas Cantoral, que no anduvo muy acorde con el sevillano Herrera.

En sus *Anotaciones* realizó Herrera un agrupamiento de las poesías de Garcilaso por formas métricas: sonetos, canciones, etc., que si servía a su intención, quebrantaba la alternancia métrica que convenía a la lírica garcilasiana en cuanto historia o cancionero. Esta ordenación herreriana, que presionaría sobre posteriores ediciones, olvidaba igualmente lo que el libro II de Boscán respondía a un cancionero con su alternancia de sonetos y canciones. Suponía esto en Herrera un cierto avanzar en la lengua poética desprendiéndose de la narratividad lírica marcada desde el *Canzoniere* petrarquesco. Frente a ello, Lomas Cantoral va a regresar no ya a elementos claramente garcilasianos, sino a estructurar su poesía en la estructura tripartita de las poesías de Boscán. Con la particularidad de que en ello estamos ante su plena voluntad ordenadora (como en el caso de Boscán y no en el de Garcilaso), puesto que Lomas preparó la edición de su poesía que conocemos.

Salvando el error editorial de que en el libro I de Lomas aparecen cuatro sonetos, numerados, que claramente piden ir al libro II, que comienza con su soneto V, cuyo número evidencia el antecedente de los otros cuatro, las *Obras* de

Lomas Cantoral aparecen, en el modelo de Boscán, divididas en tres libros: I, poesías en metro castellano; II, cancionero o historia amorosa, y III, poesías diversas de «diferentes propósitos».

Estamos, pues, con el libro II de Lomas ante un conjunto de poemas guiados como proceso secuencial y donde la alternancia de sonetos y canciones ofrecida por Boscán se aumenta con la presencia de sextinas, epístolas, madrigales, églogas e incluso una glosa en octavas. Libro, repito, que adecuadamente se inicia con unos sonetos de función prologal análoga a los que abrían, en el ejemplo de Petrarca, el libro II de Boscán, y libro que después se extiende como una historia amorosa protagonizada por Filis y el poeta.

El recuerdo de Petrarca y Garcilaso, con lo que ellos se proyectan en el petrarquismo, guiará preferentemente el estado amoroso que Lomas expresa en adecuada combinación de metros, incluso porque así como Garcilaso cerraba el soneto «Con ansia estrema...» con el endecasílabo petrarquesco «con essermi passato oltre la gonna», Lomas terminará su soneto recién citado con el verso «grazie ch'a pochi il ciel largo destina» del soneto de Bembo «Moderati deseri, immenso ardore». Aunque literalmente el «Cabellos de oro sobre nieve pura» casi traduzca, como señaló Fucilla, el «Crim d'oro crespo e d'ambra tersa e pura» de Bembo (en el que se encuentra el «da far giorno seren la notte oscura» tomado por Garcilaso), el soneto de Lomas remite, más importantemente, a la presencia petrarquesca y garcilasiana en su poesía, de cuya orientación parte hacia los petrarquistas como Bembo o Amalteo. En tal sentido, el «enfrenaron el curso de los rios» garcilasiano reaparece en el «y su curso refrena el claro rio» de una sextina de Lomas, así como el «Solo e penososo i piú deserti campi» guía, al igual que en Francisco de la Torre, el soneto de Lomas «Solo me voy, pensoso y sin consuelo». Si esta coincidencia con De la Torre aumenta cuando, como éste, Lomas hace confidente de su amor a la noche en la canción «¿Cómo podré jamás, noche, loarte...» o en el soneto «Santa y amiga noche, que en tu olvido», mayor significación tiene recordar el «Solo y pensoso en páramos desiertos» de Boscán, ya que en ese petrarquismo del poeta catalán acudirá el vallisoletano a la confección de su «Pomme en la parte do el calor ardiente» que, con Petrarca, tanto sirvió para medirse nuestros poetas.

Quiero expresar con ello la voluntaria distancia con los sevillanos, y especialmente Herrera, que manifiesta la poesía de Lomas Cantoral. Frente al recomendado irse de la exclusividad de Petrarca manifestado por Herrera en las *Anotaciones* y el frecuente olvido en ellas del sentimiento garcilasiano, que animarán el camino sonetil de Arguijo, en Lomas Cantoral existe un claro empeño en regresar al *Canzoniere* y a la lectura de él realizada por Boscán y Garcilaso, que en parte vive Acuña. Hasta el punto de que, contra la imitación clásica con las abundantísimas citas de un Virgilio, que predica Herrera, encontramos que en su «Prólogo» nos advierte Lomas que se mantiene «olvidado casi del todo de la imitación griega y latina», realizando luego una estimación sobre ello anti-herreriana: «si comparamos los italianos con los latinos, son tan diferentes, que podremos decir que es mayor su novedad e invención que su imitación».

Por los cuatro sonetos proemiales ya citados, que se muestran descolgados editorialmente del libro II, y por la alternancia de formas métricas que muestra, es indudable que Lomas entiende la narratividad, emanada del *Canzoniere*, que ofrecía el libro II de Boscán. Pero, aparte de que ya estaban cansados los cancioneros petrarquistas, en la historia poética de Boscán existió, como no ocurre en Lomas, un hecho biográfico proyectado (su matrimonio) que le permitió conducir su cancionero de forma personal. Lomas había contraído matrimonio en 1563 con Ana de Santiago, mas tal hecho no se construye en historia poética en su libro porque su petrarquismo sabía, contrariamente a Eugenio de Salazar, que un cancionero petrarquista se alimentaba, como la lírica provenzal, en una tensión amorosa ajena al matrimonio. Indico así lo que este libro II de Lomas, con el recuerdo de Petrarca y Garcilaso, tiene de literario, aunque por él corra un sentimiento poético que quiere contradecir a la poesía como ciencia.

Digo que no hay historia que seguir secuencialmente, a diferencia de Boscán o Garcilaso, sino una alternancia de estados amorosos, y esa ausencia de un proceso, con un progreso narrativo, la suple Lomas con el apego a estímulos literarios y acudiendo finalmente a las églogas, por lo que éstas, con el ejemplo de Acuña, le posibilitaban la escenificación y narración. En el estímulo, por ejemplo, del «O gelosia, d'amante orribil freno» de Sannazaro traza Lomas el soneto «Oh celos, de amadores duro freno», que en principio pertenece al plano de la retórica en el que Garcilaso compuso su «Dentro en mi alma fue de mi engendrado» o Giovanni Della Casa su «Cura, che di timor ti nutri e cresci» bajo la acción del «Speme, che gli occhi nostri veli e fasci» de Bembo. Es decir, Lomas acude a este argumento tan corrido en el *Cinquecento*, pero sin atenderlo por cuanto los celos creaban una tensión que pedía un desarrollo narrativo. Porque es Garcilaso, y no la situación celosa de Lomas, quien asoma cuando el poeta vallisoletano escribe dirigiéndose a la amada:

> ¿A quién, pues, diste, ya olvidada desto,
> aquel mirar dulcísimo y humano?
> ¿Aquella piedad de verme triste?
> ¿A quién el apacible trato honesto?...

Con el libro III, al igual que Boscán con su tercero, agrupa Lomas, en metro italiano, una serie de composiciones «diferentes» o de argumento vario. Las primeras de ellas están motivadas por la muerte de personajes como Isabel de Valois y de amigos como el poeta vallisoletano Luis Salado de Otálora, que llevó el nombre pastoril de Salicio; o bien elegíacamente, con recuerdo de la *consolatio,* se dirige «A Francisco Montanos, en la muerte de su madre». Tanto estas poesías como los elogios a don Juan de Austria o al duque de Sesa no remontan mucho su carácter ocasional. Sin embargo, hay en este libro unas octavas «diferentes» y unas fábulas mitológicas en las que muestra Lomas su arte poético y donde el poeta acude en las primeras a una *aurea mediocritas* en el curso de Boscán y sigue en las fábulas los casos de Venus y Adonis y de Céfalo y Pocris con cierta disposición oral.

Lomas cierra sus *Obras* con una canción dirigida a su alma, en la que quizás tuviera presente el soneto de Acuña «Alma, pues hoy el que formó la vida», y en la que es perceptible el ritmo del *Cantar de los Cantares,* con lo que tenemos al poeta que renuncia a algunos de los *encantos* que modernamente había cantado en páginas anteriores. Es una canción en la que el poeta despierta a su alma, «en el error dormida», para que rompa el «cerrado velo» y aspire a «la gran belleza del imperio eterno». Quizás ésta sea, cronológicamente, la última composición de un poeta que testimonia el quehacer de un grupo vallisoletano, en el que debió ser puntal Damasio de Frías, y del que nos faltan textos para medir su alcance lírico.

No demasiado espacio puedo dedicar a un Eugenio de Salazar, poeta que se muestra distinto (*es* distinto) del Eugenio Salazar que dejó la admirable muestra de una prosa epistolar. El Salazar poeta, que anduvo largamente por América y escribió tardíamente a Herrera, fue un prolífico autor que conjuntó su obra en un preparado manuscrito, *Silva de Poesía,* que permanece inédito, sin que debamos dolernos demasiado. Junto a largas y cansinas poesías religiosas y motivos americanistas, esta *Silva,* que no es selva de amenidad, ofrece una extensa atención, disfrazada en su mitad de pastoril, a la historia amorosa. Se trata de un petrarquismo o de unos metros castellanos sin tensión poética alguna porque todos ellos tienen el camino de cantar monótonamente el amor del poeta por su amada y fiel esposa doña Catalina Carrillo, lo cual realmente daba para poco, aunque acudiera a ayudas como el juicio de Paris para exaltar la belleza de su Catalina.

15. GRANADA Y GREGORIO SILVESTRE

Por muchos caminos se advierte la presencia de Granada como ciudad que acoge el vivir poético renacentista. Se abren *Las lágrimas de Angélica,* de Barahona de Soto, y entre los poemas laudatorios que anteceden a las octavas épicas se halla un soneto de Pedro de Cáceres donde éste juega con el paralelismo del renacentista mito de Orfeo. Entre otras relaciones, Cáceres prologó en 1582 *Las Obras de Gregorio Silvestre* y este poeta nacido en Lisboa y creado en Granada tiene entre su amplia producción una respuesta a la demanda cortesana:

> Pregunto a los amadores,
> quedando libre la dama
> y su fama
> ¿qué remedio ay en amores
> para aplacar los dolores
> al que ama?

La poesía cancioneril nutre muchas páginas con este juego cortesano de pregunta respondida por varios poetas, y las cortes renacentistas continuaron este juego con sonetos, entre otras razones porque heredando la *tenzone* provenzal, como ocurrió en la poesía cancionil, en los comienzos históricos del soneto estaba aquél de Iacopo Mostacci que iniciaba una *tenzone* sobre la naturaleza del amor.

Si con el argumento de la «mal maridada», tocado por Castillejo y Hurtado de Mendoza, se situaba Gregorio Silvestre en una amplia tradición que compartía con su amigo Barahona, acercándose al ejercicio de la *tenzone* practicaba Silvestre una distracción renacentista en la que vimos los sonetos sobre la red de amor aparecidos en las poesías de Hernando de Acuña. Ciertamente que en algún caso, como en su «Audiencia de amor», manifiesta claramente Silvestre su raíz cancioneril en aquel punto donde acoge el dilema de a cuál dama de dos debe arrojar al mar el caballero que siente su nave incapaz de sostener a tres. Aquí, como es sabido, la demanda de Silvestre tiene su raíz en el aljabibe o ropavejero Antón de Montoro, que terminaba en sus metros «Sobre dos donzellas» preguntando:

Este tal enamorado,
según razón y derecho,
¿quál deue lançar de fecho
para conplir lo mandado?

Pero si Silvestre recoge este argumento de un poeta del siglo xv relacionado con Santillana y Mena, es muy posible que el argumento tratado por él sirviera de transmisión para anidar en el soneto de Quevedo «La que me quiere y aborrezco quiero», según anotara González de Salas, y más significativamente en el «Voz de oráculo fue que se entregara», de Luis de Ulloa y Pereira, puesto que sobre este soneto se especifica: «Fue asunto de una Academia que se escribiese, arrojando cada uno la que le pareciese, y disculpándolo.» Ni el argumento de Montoro ni el metro castellano aíslan el texto de Silvestre de una actitud cortesana de cronología renacentista, ya que si su tema lo recoge para endecasílabos Ulloa, este mismo Ulloa amigo de Góngora y Quevedo testimonia cómo otro argumento «fue asunto que se dio en una Academia, para que se escribiese en diez redondillas». Es decir, que las Academias cortesanas acogían para el juego poético de la *tenzone* tanto el endecasílabo como las castizas redondillas.

Quiero indicar con ello la posición social de Gregorio Silvestre en el centro poético granadino, en el que quizás tratara a Diego Hurtado de Mendoza, y donde encontró a poetas como Hernando de Acuña y desde donde tuvo la amistad de Jorge de Montemayor. Silvestre, que fue organista de la catedral granadina, es un ejemplo de la actividad poética de la ciudad donde se mezclan metros españoles, impulsados en primera instancia por Castillejo, y metros italianos que en Granada tuvieron su primera meditación. Y de Granada, quizá escogidos por Juan de la Cueva, salen los versos de Silvestre para formar parte de la mexicana *Flores de baria poesía* que vimos con los poetas sevillanos o para engrosar manuscritos de predominio religioso como el llamado por Rodríguez-Moñino *Cancionero de jesuitas,* con varias poesías sin nombre de autor.

La importante producción poética de Silvestre era en sí misma un centro al que concurrían las trayectorias del siglo XV y la apertura de la siguiente centuria en la que vive. Creo que, en gran parte, es una producción marcada por una inquietud donde se prueban convenciones literarias y donde aparecen como extremos Cristóbal de Castillejo y el Marsilio Ficino, que doctrinalmente impresiona a petrarquistas como Lorenzo de Médici. En esta inquietud hay en Silvestre un deseo de posesión de alcance poético, desde la poesía religiosa a la amorosa, que lo hacían especialmente atractivo como guía, incluso por lo que en su poesía hay de hipérbole sacroprofana, de modernización cancioneril y de recepción neoplatónica. Ahora bien, ¿qué poética había sostenido esa producción lírica? Entiendo que en Silvestre no existe una recepción italiana directa como en Hurtado de Mendoza ni una formación humanista como en Herrera para ejercer un magisterio, aunque a su permeabilidad puedan adjudicársele movimientos poéticos quizás no asimilados. El hecho es que al atractivo de Silvestre se vence un poeta joven como Barahona, hasta integrarse como granadino, aunque luego se apegue a la poética herreriana y en las *Anotaciones* del sevillano halle confirmación. Cerca de Gregorio Silvestre y entre los ingenios del «cristalino Dauro» colocará Lope de Vega a Barahona en su *Laurel de Apolo*. En la «poética academia» de don Pedro de Granada lo verá Cristóbal de Mesa, y Agustín Collado del Hierro, cuando en el libro VII de su poema *Granada* va exaltando los insignes varones granadinos, destacará pronto a Barahona.

16. LA POESÍA DE BARAHONA DE SOTO

Cuando el siglo XVIII va conociendo de Barahona algo más que su poema *Las lágrimas de Angélica* por la recopilación del *Parnaso* de Sedano, éste anota respecto a las sátiras que edita que en la primera «parece dirigirse [Barahona] a su grande amigo y contemporáneo Gregorio Silvestre», y precisamente para establecer en 1547 ó 1548 la fecha de nacimiento de Barahona se fija Rodríguez Marín, con Fernández Guerra, en la *Epístola* que a Silvestre dirige Barahona.

La mencionada *Epístola,* teniendo Silvestre cuarenta y cuatro años, debió escribirla Barahona a los diecisiete años, y parece obvio que el joven poeta conocía a Silvestre no ya en su fama poética, sino en detalles como su cualidad ajedrecística. Quiere decirse que Barahona, concluidos sus estudios en la cátedra de Gramática de Antequera, se halla muy joven en Granada, donde estudiará Medicina y donde crece una admiración por Silvestre que le mueve a buscar su amistad. Esta *Epístola* («... pretendo por la vuestra conoceros») marca así el comienzo de una directa relación entre ambos poetas y donde Silvestre, por su edad, ejercería un cierto magisterio. Pero esta epístola juvenil, y tal como conjetura Lara Garrido, sufriría después modificaciones que suman a la presentación primera los años de amistad, en los que Barahona cosechó ya elogios como el soneto de Hurtado de Mendoza «Un claro ingenio, un vivo entendimiento», no casualmente recogido en las *Obras,* 1599, de Silvestre.

Cabe pensar por lo dicho que en una primera etapa seguiría Barahona los pasos poéticos de Silvestre, especialmente en aquel tipo de composición, la *chanzoneta,* cultivada por su cargo en la catedral. Entre composiciones religiosas y glosas como la de la mal maridada cubriría Barahona en coplas castellanas un inicial curso de poeta. Sin embargo, no creo que pueda establecerse en la poesía de Barahona una división cronológica entre obras en metro castellano y metro italianizante, porque sobre el ejemplo de Boscán estaba mucho más cercano el ejemplo de alternancias de Hurtado de Mendoza, cuyo humor o burla aparece seguido por Barahona.

En el entendimiento herreriano de la poesía como ciencia va extendiendo su poesía Barahona, que prepara en un volumen de *Rimas* que no prosperó editorialmente, y donde junto a la atención por el madrigal se extiende una sabia dedicación amorosa, que con frecuencia funde el pasado mítico y la actualidad en un tiempo poético nuevo. Por ejemplo, en la «Fábula de Vertumno y Pomona», escrita en dobles quintillas, la realidad cotidiana de Barahona invade el mito ovidiano hasta fijarlo en costumbres del tiempo del poeta. Ello no supone un caso de fusión mítica, en el sentido dafneo de Petrarca, pero sí acompañar al mito de la experiencia propia, como el mismo Barahona señala en la «Fábula de Acteón».

Pedro Espinosa, que muestra su predilección por Barahona, acoge en sus *Flores* la égloga que comienza «Las bellas Hamadríades que cría / cerca del breve Dauro el bosque umbroso...». Aunque el umbroso nos recuerda a Garcilaso y la cadencia del ritmo anime el recuerdo, la distancia con el poeta toledano, que he marcado alguna vez atrás, se confirma como voluntaria en esta égloga de Barahona, quizás buscando para ella caminos posteriores que matizarán sensaciones pictóricas. Cuando Barahona va escribiendo «de cedro, mirras, bálsamos y palmas...», de «el mirto y lirio azul y blanco», «de olor, sonido y lumbre...», el poeta va caminando hacia la figuración de un relieve descriptivo para la égloga, donde narrador y personajes conjugarán una naturaleza redentora. La compañía del paisaje bucólico en cuanto fondo o marco se acrecienta en la égloga de Barahona hasta fundamentar su novedad. El paisaje propio que se funde al módulo bucólico en la égloga de poetas anteriores lo transforma Barahona con una percepción sensorial de la naturaleza que enfatiza sus dones en la misma sonoridad del vocablo que los designa, hasta idealizar y paganizar esa naturaleza en una creencia con la que puede bañar el paisaje concreto de Granada e incluso allegar a él la urbe, ciudadanía, que estaba alejada en la égloga tradicional.

El valor de esta naturaleza está presente como término comparativo desde el primer personaje, Silveria, una de las bellas hamadríades que tejen el llanto amoroso. Porque esta *puella* hamadríade, que pertenece a las ninfas de los árboles que morían con ellos en la tradición clásica, nos dice que mientras no se aplaquen con sacrificios el alma de la ninfa amada no prestará su aliento céfiro sobre olmos y avellanos, escribiéndose luego de «aljófar cristalina», «meloso septiembre», «madroños, bellotas y castañas», etc. Pero al lado de este colorido descriptivo, la égloga es también un mitológico canto a la amada de Gregorio Silvestre y a éste, en cuyo nombre escribe (por *simpatía* de sentimientos) sobre la muerte de la amada, y en tanto que el poeta es «enemigo del olvido».

Creo que en esta égloga y en otros fragmentos de églogas se encuentra el mejor Barahona lírico que, con sus recuerdos garcilasianos, se va a un mundo poético opuesto al del poeta toledano para probar, con su ciencia, caminos de transición hacia el barroco. En este camino, que sabe medir, se advierte cómo su trayecto, que encuentra elogiables aciertos de descripción sensualista, es un trayecto estimulado por argumentos ajenos. A veces tan cercanos por amistad como la muerte de Gregorio Silvestre, y a veces llegados por literatura, como en las octavas «¿Son estos lazos de oro los cabellos», donde, como señalara Rodríguez Marín, la dependencia es de un petrarquista soneto de Sannazaro. Y creo que ese estar fuera de los argumentos que ve y siente, como en la elegía a Garcilaso o en la égloga de las hamadríades, le permitió crear un orbe poético de conjunción pagana donde el mito fecundó la realidad, transfigurándola, y por donde en cuanto *satura* renacentista aparecen la sátira y la burla descendida del humor de Hurtado de Mendoza.

17. Poesía carmelita. San Juan de la Cruz

La poesía de Teresa de Jesús, más que por su valor individual, quizás interese por el valor representativo de una colectividad conventual que la Santa anima, y en la que ya atravesando el siglo XVI encontramos a las hermanas vallisoletanas María de San Alberto y Cecilia del Nacimiento, que profesaron como carmelitas. Pero ya el hecho de que alguna composición de la segunda, de Cecilia, pudiera atribuirse a Juan de la Cruz, manifiesta el gran estímulo que la poesía sanjuanista ejerció en los claustros.

La poesía sanjuanista se nos presenta realmente desatada de un tiempo y un espacio. En el *Cántico,* por ejemplo,

¿cuál de sus estrofas primeras se distingue de las centrales o últimas por reflejar el tiempo toledano de encarcelamiento? Nos lo indica algo que no está en el texto como es nuestra erudición, y claro está que textualmente el historiador de la lengua puede situar cronológicamente el poema por usos como *fuerdes* en cuanto forma sincopada de *fuéredes* o como *de vero* en cuanto cultismo por *de verdad*. Pero esencialmente la poesía sanjuanista escapa de su tiempo, levantándose sobre el cerco de una cronología y de un yo particularizado. Es, en este sentido, una de las poesías más universales, propiciada en parte por el arte sanjuanista y la dirección de su emisión lírica a un receptor cualificado que esperanzadamente se irá sucediendo.

Ciertamente que la erudición nos dice cuanto ese yo ausente de la poesía es la personalidad de Juan de la Cruz amando y transmitiendo ese amor, y ciertamente que no sólo la glosa al «Vivo sin vivir en mí» nos remite a una ambientación carmelitana por donde asoma el canto estimulante de Teresa de Jesús. Es quizás necesario abandonar una virginidad de lectura para llegar al sentido de enamoradas estrofas como:

> ¡Ay, quién podrá sanarme!
> Acaba de entregarte ya de uero;
> no quieras embiarme
> de oy más ya mensagero,
> que no saben decirme lo que quiero.

Es obvio que este dolor de la ausencia, pidiendo la directa presencia del amado, tiene muy distinta significación en una lectura exclusivamente profana que en una lectura sabida o guiada por la declaración sanjuanista. Sin embargo, en una y otra lectura nos llega la queja de la ausencia, podemos sentirla por simpatía, con lo que quiero insistir en la extraordinaria comunicación poética sanjuanista, alcanzada por su cultivo de la palabra logrando la emotividad de captarnos. Especialmente el *Cántico espiritual* es sometido por el poeta una y otra vez a correcciones que atañen tanto a la doctrina como al estilo. Desde 1578, Juan de la Cruz va comentando su poema ante las monjas del Carmelo y tales comentarios orales, lecturas, implican ya unas aclaraciones que inciden sobre la revisión del poema. Las glosas sanjuanistas crecen, son escritas por los receptores, hasta constituirse en un *corpus* que Juan de la Cruz, en la Granada de 1584, siente la necesidad de organizar, instado por Ana de Jesús, priora de San José. El poeta, que conoce la riqueza de contenido de su poema, siente la inquietud, insatisfacción, de que su expresión no responda o desvíe el contenido. El poeta continúa con sus correcciones, con su lectura, de lo que es testimonio el famoso manuscrito apógrafo de Salúcar, y su insistencia acabará determinando (con la sospecha o certeza de la intervención de fray Tomás de Jesús) un apasionado problema textual que es testimonio de la preocupación expresiva de Juan de la Cruz.

En esta preocupación expresiva, reflejo de unos estados de tensión emotiva que se acaricia y llama, la poesía sanjuanista busca un ritmo que la convierta musicalmente en canción. De hecho, las estrofas del *Cántico* fueron llevadas por Teresa de Jesús para que se cantaran conventualmente, y su verso era memorizado. Creo que este valor lírico de la estrofa sanjuanista señala lo que ella tiene de extraordinaria síntesis amorosa, apuntando a ese saberlas de memoria, escucharlas y no leerlas que apreció Emilio Orozco. La poesía sanjuanista, claramente el *Cántico* y *Llama,* leída atentamente propicia la explayación doctrinal de su contenido, su saber místico en el que ya me detuve en otros estudios. Pero esa misma poesía, escuchada o cantada, recitada por la memoria como una superación de la lectura, produce un sentimiento de afinidad, de simpatía, que nos hace plenamente copartícipes de su belleza expresiva. (En cierto modo es responder a la memoria, alejada de textos presentes, con que Juan de la Cruz comenzó a componer en la cárcel toledana.) Es así una poesía desnuda, acudiendo a la sensibilidad y no al saber, llenando de luz la oscuridad de Ana de San Bartolomé, como confiesa la monja, cuando estaba en el coro con su corazón «hambriento y desfallecido de debilidad». Sentir, escuchar la poesía y habitarla superando la lectura, como realizan Ana de San Bartolomé o Ana de San Juan, es quizá la más intensa y pura dirección buscada por Juan de la Cruz. Junto a este receptor hay otro cuyo umbral de sensibilidad no capta esa plenitud, y para él, también religioso, redacta el poeta la declaración de sus poemas.

Desde la dedicatoria del *Cántico* mencionada se halla expuesta por Juan de la Cruz la función de su palabra y el receptor al que se dirige. Pero resulta que su valor estético, su emotiva belleza, brinca los muros monásticos y los caminos solitarios que propiciaban la compañía del canto, y viene a correr por una trayectoria literaria cuya sensibilidad profana la acoge y escucha:

> En una Noche oscura,
> con ansias, en amores inflamada
> ¡oh dichosa ventura!
> salí sin ser notada,
> estando ya mi casa sosegada.

El receptor siente la belleza del comienzo, la complicidad enamorada de la noche, el ansia de unión amorosa que explota gozosa:

> ¡Oh noche, que guiaste!
> ¡Oh noche, amable más que el alborada!
> ¡Oh noche que juntaste
> Amado con amada,
> amada en el Amado transformada!

Es la más íntima, la más bella unión, hasta transformarse y ser en el Amado, abandonado en Él, con lo que cesa la inquietud, y el tiempo de ansiedad se pierde en el goce declarado de la última estrofa:

> Quedéme y olbidéme,
> el rostro recliné sobre el Amado;
> cessó todo, y dexéme,
> dexando mi cuydado
> entre las açucenas olbidado.

El receptor siente esta hermosa huida por la oscuridad de la noche, sin otra luz que el amor como guía, hasta la beatitud de quedar entregado en el Amado. Después, el lector puede relacionar el poema con la huida del poeta de la cárcel toledana, puede conocer la interrelación con otras composiciones y puede ir alcanzando con las declaraciones por qué tres causas se llama «noche oscura», en relación con Tobías, etc. Puede saber en la perseguida enseñanza de Juan de la Cruz, pero debe sentir la emoción de la palabra creada.

Si los primeros escritos poéticos de Juan de la Cruz que conocemos se componen en la prisión toledana y la redacción de sus tratados principales la inicia entre las paredes conventuales de El Calvario, es en Granada donde cumple su más amplio y rico período literario. En Granada concluye la *Subida al Monte Carmelo* (que había comenzado en El Calvario y proseguido en Baeza), escribe la *Noche oscura,* completa el *Cántico espiritual* y en quince días, a instancia de Ana de Peñalosa, extiende la *Llama de amor viva.* Son obras para cuya formación van acudiendo a la llamada de Juan de la Cruz textos de Dionisio Areopagita, San Agustín, San Bernardo, etc., y un poco de poesía profana alguna vez declarada como en la primera anotación de *Llama,* donde el padre Gerardo de San Juan señaló, para sus estrofas: «La compostura de estas liras son como aquellas que en Boscán están vueltas a lo divino, que dicen: La soledad siguiendo...», entendiéndose que por Boscán quiere decirse Garcilaso.

En 1618, en Alcalá, aparece la edición príncipe de la obra sanjuanista, que omite el *Cántico espiritual,* añadido ya en la edición Madrid, Viuda de Madrigal, 1630. Hasta 1912-1914, en Toledo, no se realiza una edición crítica, llevada a cabo por el padre Gerardo de San Juan de la Cruz. Junto a las noticias de manuscritos y copias que testimonian, previo a las ediciones, la amplia recepción sanjuanista, es significativo que antes de la edición en España del *Cántico,* éste se editara traducido en París, 1622, y en Bruselas, 1627, en castellano, aparte de la edición italiana, 1627, que lo incorporaba junto a las otras obras.

El *Cántico espiritual* ha sido siempre el centro de la poesía sanjuanista para toda una amplia crítica. Parecería que, dado un texto poético capaz de sentirlo y unos amplios comentarios del propio poeta para entenderlo, estaríamos ante una composición con poca necesidad de glosa interpretativa. Sin embargo, da la impresión de que el comentario a su poema de Juan de la Cruz es literariamente una perturbación que incitaba a nuevos comentarios, que de hecho constituyen una complicada, y a veces contradictoria, historia crítica. Y no me refiero ahora al problema textual, por falta de autógrafos, levantado por el benedictino solesmense Dom Chevalier, de considerar antagónicamente si Juan de la Cruz escribió sólo una vez el *Cántico* o realizó dos redacciones.

Quizás la ausencia de un título autógrafo para la obra sanjuanista explique un poco la ambigüedad y riqueza de su contenido, por cuanto el título quiere ser enunciado y sumarización del texto. Como es bien sabido, fue el padre Jerónimo de San José quien le dio el título de *Cántico espiritual entre el alma y Cristo su Esposo* en su edición de 1630, mientras que la cercana edición de París, 1622, le había titulado *Cantique d'amour,* posiblemente menos literal con el diálogo, pero más ambiguo y adecuado a la extensión crítica que el poema tendría atendiendo la amplitud de *amour*.

En rigor espiritual, místico, el *Cántico* son «dichos de amor» en forma de canciones que evocan y reflejan el ansia y encuentro con Dios del alma del poeta. La génesis está explicada por Juan de la Cruz según el testimonio de la monja de Beas Francisca de la Madre de Dios, quien oyó decir al poeta que «estando en la cárcel y comenzando a cantar aquella canción Adonde te escondiste, Amado, le había parecido que le había hablado Dios y le había dicho: Aquí estoy contigo. Yo te libraré de todo mal, y que le había llenado aquella voz tanto el alma de consuelo, que parecía estaba en la gloria».

Según este testimonio, el *Cántico* se inicia por una lamentación humana, plena de amor, dirigida por el poeta al Amado en forma de canción. Juan de la Cruz se dirige así mediante un lenguaje de tradición poética a Dios, lamentando por el amor su ausencia al igual, formalmente, que un Garcilaso lamentaba la distancia de la amada y fervorosamente, con arrebato, afirma que nada podrá evitarle ver a la amada, en «desnudo espíritu o hombre en carne y hueso». Se trata de afectividades distintas, pero análogamente anhelantes de unión. En Juan de la Cruz se producirá la unión mística y seguirá latiendo su espíritu anhelante de amor y necesidad de existirlo en palabra. La misma madre Francisca del convento de Beas testimonia cómo la hermosura de Dios que ella advierte y le comunica al poeta estimula a éste a la conclusión del *Cántico*: «Y así, llevado de este amor, hizo unas cinco canciones a este tiempo sobre esto, que comienzan: Gocémonos, Amado, y vámonos a ver en tu hermosura.»

El ansia de llegada, unión con la amada y su hermosura, animan la dirección de la poesía garcilasiana y su necesidad, como amor, de expresarlo en palabra poética que recoja esa experiencia y sea también camino hacia la amada, aun tras la muerte, buscando un espacio eterno donde siempre pudiera verla «sin miedo y sobresalto de perderte». Es la misma lengua poética de amor que tiene a su alcance Juan de la Cruz y que éste tiene que personalizar, acomodar a su experiencia, al igual que Garcilaso acomodó a la suya la lengua petrarquesca y petrarquista. No voy a detenerme en la relación de Garcilaso con Juan de la Cruz, con el uso de la lira y la posible mediación de fray Luis, que es parcela recorrida con sensibilidad por Dámaso Alonso. Lo único que deseo recordar someramente, desde el testimonio de la carmelita Francisca de la Madre de Dios, es el conducto humano que Juan de la Cruz necesita en su comunicación con Dios y con los hombres a través de la escritura. En esta conducción, es lógico que a su material poético llegara, con su campo semántico, la lengua garcilasiana que vivía en la Salamanca habitada por el joven poeta. Y creo que es esta lengua, como en otros casos la tradición castellana, la que anima por calidad en su verso y no la conversión a lo divino de Garcilaso llevada a cabo por Sebastián de Córdoba, y cuyo texto conocería San Juan. A cualquier sensibilidad poética de espíritu religioso le era fácil en la época convertir a lo divino una poesía profana, henchida de culto amor, como la garcilasiana, y es indudable que la sensibilidad de Juan de la Cruz era muy superior a la de Sebastián de Córdoba, por lo que no tenía que recurrir a éste, que con frecuencia estraga el verso original y con el que no era muy extraño coincidir al divinizar.

Tenemos que el *Cántico* parte, con humana voz, de una amorosa búsqueda del poeta y que su experiencia de encuentro y gozo tiene que exteriorizarse mediante una humana manipulación del lenguaje que manifiesta el recurso de los artificios retóricos. En cuanto su lenguaje está cargado de símbolos, esto es, de direcciones, Juan de la Cruz ve la conveniencia de declarar su esencial dirección, mediatizada por los receptores a quienes se dirige. Esa dirección mística, conventual, está admirablemente marcada por el poeta, pero en las otras, desde el sentimiento de lectura profana, la poesía sanjuanista se nos ofrece abierta a comentarios como está la de Garcilaso o fray Luis de León. Juan de la Cruz no es accidentalmente poeta.

Las interpretaciones del *Cántico* no pueden alcanzarse así de forma definitiva por la misma intensificación del lenguaje que lo expresa y enriquece. Es una variedad, movimiento poético del verso, donde a veces notamos la palabra cercana, aprehendida, y en otras escapa al misterio o nos advierte la imposibilidad de entenderlo por la limitación de la lengua. El mismo (y tan seguido desde el *non so chè* dantesco) (vn no sé qué que quedan balbuciendo», está remitiendo a algo que queda por decir, «vna cosa que se conoce quedar por descubrir». Y frente a ello la familiaridad de diminutivos como «montiña», «carillo», «palomica», etc. Y siempre la extraordinaria belleza para *sentir*, en ocasiones ajustada con cultismos, como en las dos célebres estrofas, que constituyen unidad, donde la visión del Amado se extiende a la naturaleza, al igual que en la poesía amorosa profana el poeta recordaba, veía a la amada en árboles o ríos:

Mi Amado, las montañas
los valles solitarios nemorosos,
las insulas estrañas
los ríos sonorosos,
el siluo de los ayes amorosos,

la noche sosegada
en par de los leuantes de la aurora,
la música callada,
la soledad sonora,
la cena que recrea y enamora.

La sabia y emotiva utilización del símbolo por Juan de la Cruz eleva el poema en su posibilidad de riqueza interpretativa y, en lo que el símbolo es propia vida, sirve al poeta para refugiar en él lo que la lengua no le permite expresar. El símbolo se conduce entonces, con su emotividad, como una provocación mediante la que el receptor es extraído de su mundo para acercarse al poeta en su deseo de entenderlo o sentirlo, estableciendo un diálogo con él, tal como indica Colin P. Thompson.

Si esta dimensión, llevar al receptor al diálogo interno del poema, está en la medida emotiva del poeta dirigida a sus receptores religiosos, es indudable que su trascendencia lírica agrandó el círculo receptor para, en la calidad poética, ampliarse a un múltiple y vario receptor, algunos de cuyos diálogos con el poema se fijaron (y seguirán fijándose) en interpretaciones críticas o comentarios que complementan y no acaban el ofrecimiento abierto del *Cántico*.

La *Llama de amor viva* es un poema que, contrariamente al *Cántico*, fue escrito sin interrupción en 1584 y en Granada. Perdidos pronto el manuscrito autógrafo y las copias más directas, su texto, que muy probablemente obedeciese a dos redacciones, encierra no pequeñas dificultades como tal. La brevedad de sus cuatro canciones o estrofas pertenecen al estado de «el alma en la íntima comunicación de unión de amor de Dios» que el poeta recuerda y recrea con la palabra:

¡Oh llama de amor viva,
que tiernamente hyeres,
de mi alma en el más profundo centro!
pues ya no eres esquiva,
acava ya, si quieres
rompe la tela de este dulce encuentro.

La *Llama* no tiene la claridad argumental de «Tras un amoroso lance» o «Un pastorcico», exento de declaración, pero creo que su poesía está menos necesitada del comentario del autor que lo está el *Cántico,* que, desasistido totalmente de la declaración, puede llegar a interpretaciones sorprendentes, como reconoce José C. Nieto.

Por una tradición libresca estudiada podemos tener un conocimiento del estado místico, como acercamiento al argumento del poema. E incluso nuestra distancia del místico, como experiencia, podemos equilibrarla con la distancia entre el éxtasis y la palabra que luego lo expresa del poeta, que éste indica en su prólogo equivalente a la distancia de «lo pintado de lo vivo». Movida la canción en el recuerdo vivo de la unión del alma con Dios, su declaración es como una extendida lección sobre la lectura de los versos. Llegamos, por ejemplo, a la estrofa final:

¡Cuán manso y amoroso
recuerdas en mi seno,
donde secretamente solo moras…!

El verso dice perfectamente cómo anida el recuerdo de Dios en el alma que estuvo unida a Él, y sobre ello, sobre la lectura poética, va extendiéndose Juan de la Cruz en su declaración, señalando, por ejemplo:

Y éste es el deleite grande de este recuerdo: conocer por Dios las criaturas, y no por las criaturas a Dios; que es conocer los efectos por su causa y no la causa por los efectos, que es conocimiento postrero, y ese otro es esencial.

La declaración es en la *Llama* una derivación doctrinal que, en muchos puntos, se desarrolla desunida del entendimiento del poema y que discurre a veces por un comentario histórico de sabiduría objetiva que podría realizar otro intérprete, como las lámparas que le hicieron a Moisés en el Sinaí. En general, distintamente a la prolongación del poeta en su declaración que guía la lectura del *Cántico,* en la *Llama* predomina, a mi entender, una cierta separación entre el yo poético que expresa su experiencia en verso y el comentador que se conduce doctrinariamente. Incluso formalmente el comentador escribe del poeta como de un otro para explicar el sistema de buscada emotividad del verso:

Para encarecer el alma el sentimiento y aprecio con que habla en estas cuatro canciones, pone en todas ellas estos términos ¡oh! y cuán, que significan encarecimiento afectuoso. Los cuales, cada vez que se dicen, dan a entender del interior más de lo que se dice por la lengua...

La explicación sanjuanista del *¡oh!* es como si a su «un no sé qué» del *Cántico* le añadiéramos nosotros la efectividad poética del «non so che divino» del Paradiso (III, 59) de Poliziano. Pienso que aun con la dificultad poética obediente a la retórica y con lo extraordinario que es una experiencia mística recordada en palabras, el poema de la *Llama de amor viva* está más cerca de la comprensión lectora, sin necesidad del comentario sanjuanista, que el gran poema del *Cántico.* Llegamos así a la claridad directa, sin apoyo de declaraciones de composiciones como la excelente «Coplas hechas sobre un éxtasis de alta contemplación», tal vez escritas en 1574:

Entréme donde no supe
y quedéme no sabiendo,
toda sciencia trascendiendo.
    Yo no supe dónde entraba,
pero cuando allí me vi,
sin saver donde me estaba,
grandes cosas entendí;
no diré lo que sentí;
que me quedé no sabiendo
toda sciencia trascendiendo...

Es el Juan de la Cruz que testimonia por la sencillez de la tradición castellana y cercano al que sencillamente se dirigía a Dios con la prosa de su «Oración del alma enamorada». El poeta camina en estos versos, y desde los romances de la cárcel toledana, en el recuerdo métrico, musical, de cancioncillas y villancicos que sus oídos podían recuperar de los tiempos jóvenes de Fontiveros, Medina del Campo y Salamanca; que podía seguir escuchando como efectiva y andariega comunicación popular y que Teresa de Jesús predicaba como alegría conventual convirtiendo a lo divino cantares anónimos, tal como ya habían hecho poetas del xv como Álvarez Gato o el fray Íñigo de Mendoza del célebre «Eres niño y has amor». Es una amplia trayectoria en la que ya vimos a Gregorio Silvestre y en la que también se anima el espíritu poético sanjuanista. Precisamente recordando a Gregorio Silvestre y luego (con López Estrada) al Ramírez Pagán de su *Floresta*, destacaba Dámaso Alonso el poema, quizás escrito en Granada, de Juan de la Cruz:

> Tras un amoroso lance,
> y no de esperança falto,
> subí tan alto, tan alto,
> que le dí a la caça alcance.
>   Para que yo alcance diesse
> a aqueste lance divino,
> tanto bolar me convino
> que de vista me perdiese;
> y con todo, en este trance,
> en el buelo quedé falto;
> mas el amor fue tan alto,
> que le dí a la caça alcance...

Como poeta del siglo xvi va cultivando Juan de la Cruz una lírica en comunidad temporal, por la vertiente italianizante y la castellana, prestándose vocablos y acariciando el símbolo. Con un no sé qué de unión de aguas poéticas siente el poeta su alma en el gozo de conocer a Dios, y con su noche cerrando cada una de las estrofas compone el singular y admirable poema que comienza:

¡Qué bien sé yo la fonte que mana y corre,
aunque es de noche!
Aquella eterna fonte está escondida,
¡qué bien sé yo do tiene su manida,
aunque es de noche!...

Bajo ningún sentido moría, escuchando maitines, el 14 de diciembre de 1591, quien fue tanta llama de amor y tan enamorada palabra, aunque pareciera irse recitando, recordando:

cesó todo y dejéme,
dejando mi cuidado
entre las azucenas olvidado.

18. LA POESÍA ÉPICA

La poesía épica constituye una casi obsesión para los escritores renacentistas, que continuará en el siglo XVII, y a la que apenas escapa algún poeta, como Garcilaso. En parte, la abundancia de poemas épicos obedece a que su práctica responde a un interés que va desde la aspiración clásica, con los recuerdos de Homero y Virgilio, al pragmatismo del poema genealógico exaltando a un mecenas. A este amplio ejercicio profano, que se ve estimulado por los poemas de Ariosto y Camoens, se suma la vertiente religiosa que advierte en el género un apetecido sistema de predicación o adoctrinamiento o exaltación espiritual. Escritos estos poemas en octavas, generalmente, conviene señalar pronto que su exagerada abundancia no se ve correspondida por una equiparable calidad. En gran parte son poemas sobre los que ha caído no injustamente el olvido, y no ya porque su lectura pida, en muchos casos, un saber y unas relaciones en parte olvidados.

Me parece que con prestar atención a *La Araucana,* de Ercilla, podré cumplir con la titulación de este apartado y sin que, desgraciadamente, los altos valores de este poema respondan a la generalidad de una práctica española. Contra preceptos clasicistas renovados en el siglo XVIII, cuyo vigor no se atiene a la vida renacentista proyectada en una literatura, la obra de Ercilla se manifiesta como un poema que refleja su actualidad, que olvida al héroe individual por la exaltación colectiva del pueblo araucano, que interrumpe la secuencialidad narrativa con episodios soñados, que a una materia previa mitificable responde con la mitificación de la historia en la que participa como soldado, etc. Se trata de elementos, por donde crecerá la ironía, que manifiestan cómo Ercilla es dueño de su materia, acorde con un principio renacentista sustentado por Ariosto.

En el canto XXII de su *Orlando Innamorato* se quejaba Boiardo de que la ausencia de unos héroes como Alejandro o César le obligaban a «narrar bataglie di giganti» y acudir a un mundo fabuloso. Puede entenderse que en el canto XXI de *La Austriada* responde Rufo a esta lamentación, desde la vertiente española, indicando que con historias como la de don Juan de Austria (que es el héroe de su poema) «no hay necesidad de otras ficciones». Respecto a Rufo, con el que discrepará Ercilla, *La Araucana* no atiende a un héroe individual, sino a dos colectividades en lucha: los españoles y los araucanos, y tal atención se vence por literatura hacia el campo rival, hasta darle a su poema el título de *La Araucana*.

Con independencia de la simpatía que Ercilla pudiera tener por los indios, el escritor madrileño se encontraba con dos comunidades rivales: los españoles, que eran historia, y los araucanos, pueblo desconocido sobre el que podía inventarse y construir una materia mítica. Es obvio que frente a la disciplina de veracidad que le imponía la historia, los araucanos eran argumento liberado sobre el que ejercer la literatura, incluso cumpliendo con el precepto épico de mitificar una materia previa. Tan bien lo hizo Ercilla que *La Araucana* pasó a ser el poema de Chile en la misma coordenada en la que *La Eneida* era el poema que Roma necesitaba.

Es lógico, por este desplazamiento y mitificación, que los personajes más grandes del poema, como Lautaro, Caupolicán, Colocolo, Guacolda, etc., pertenezcan al ámbito poemático de los araucanos, sobre los que se descuelga una concepción caballeresca y renacentista ajenas a su realidad étnica. Ercilla eleva, mitifica así en su poema a un pueblo tribal al que desplaza su concepto de nacionalidad y de historia (que los araucanos no podían tener) o al que les otorga una trayectoria vital recogida por la Fortuna que había caminado en los siglos XV y XVI bajo el impulso petrarquista del *De remediis utriusque Fortunae*. Los héroes araucanos se conducirán frecuentemente bajo esta dimensión de la Fortuna, y así como Garcilaso escribe de ella que

> ... por más que'n mi su fuerza pruebe
> no tornará mi corazón mudable,

Ercilla dirá de Caupolicán que

> nunca por mudanzas ver alguna
> pudo mudarle el rostro la Fortuna (XXXIV, 17).

Este concepto renacentista de la Fortuna anima a los araucanos de Ercilla en una acción que vive el recuerdo de Mena y que viene a conciliarse con el concepto de prudencia cultivado desde Ulises y el pío Eneas. En este conciliar Fortuna, prudencia e industria que preside la acción de Caupolicán o del viejo Colocolo, me parece altamente significativo que, cuando Lautaro muere víctima de un dardo casual, Ercilla prorrumpa como narrador:

> ¡Oh pérfida fortuna! ¡Oh inconstante!
> ¡cómo llevas tu fin por punto crudo,
> que el bien de tantos años, en un punto
> de un golpe lo arrebatas todo junto! (XVI, 15).

Escribí «altamente significativo» porque estos endecasílabos manifiestan claramente la intervención (y proyección) del autor en su poema, como dominador de la materia, en un curso que remite al canon de Ferrara, y más específicamente a la intervención de Ariosto en su poema.

La preocupación de Ercilla por su poema, mientras éste va realizándose, es análoga a la que siente Cervantes en su *Quijote*, y en XX, 4, por ejemplo, se preguntará: «¿Quién me metió entre abrojos y por cuestas...», censurándose a sí mismo por tratar sólo de guerra cuando es el amor el que da contento al verso.

Implica ello, evidentemente, un dominio de la materia por su autor que va manifestándose, como en el canon de Ferrara, a través del uso del pronombre personal, de un yo que va cediendo su carácter enfático de testigo en favor de un yo decididamente gobernando el poema como autor. Así, avanzando sobre el «yo vi...», sobre el «podré ya discurrir como testigo», Ercilla-autor llegará a entrar en conflicto con la acción asignada a los personajes, y, cuando la heroica muerte del gran Caupolicán, dirá ante un tú receptor (que también es él):

> que si yo a la sazón allí estuviera
> la cruda ejecución se suspendiera (XXXIV, 31).

Este valor de autor dominado por la creación de los personajes y, a la vez, dominador de la materia, se conecta, como en el propio canon de Ferrara, con el sistema de interrupción capitular (de cantos), que de la fórmula oral de los «cantambanchi» pasa a Boiardo y Ariosto y a toda una épica renacentista. Es un vigente recuerdo juglaresco del común participar de un mismo espacio y tiempo el emisor y receptor. Por ello, en una tradición Ercilla puede interrumpir, por ejemplo, la cruenta batalla del canto XIV cerrándolo:

> Así los dos guerreros señalados,
> las inhumanas armas levantando,
> se vienen a herir... Pero el combate
> quiero que al otro canto se dilate.

Como perfectamente señala Avalle-Arce en su relación Ariosto-Ercilla, un alto ejemplo de estos cortes narrativos en *La Araucana* nos lo manifiesta el final del canto XXIX, que ultima la segunda parte del poema con el combate entre Tucapel y Rengo. Cierra Ercilla:

> Mas quien el fin deste combate aguarda
> me perdone si dejo destronada
> la historia en este punto, porque creo
> que así me esperará con más deseo.

El receptor coetáneo de Ercilla tendría que esperar once largos años para que nuevamente cobrara movimiento este combate en el que uno de los contendientes quedó con la espada alzada y Rengo guardándose de ella. El receptor actual encuentra esa continuación en el canto XXX, que abre la tercera parte, pero tras unas octavas que disertan, como teoría, sobre el desafío. Hasta que en la novena octava Ercilla se decide

> ... porque viendo
> el brazo en alto a Tucapel alzado,
> me culpo, me castigo y reprehendo
> de haberlo tanto tiempo así dejado;
> pero a la historia y narración volviendo,
> me oíste ya gritar a Rengo airado,
> que bajara sobre él la fiera espada
> por el gallardo brazo gobernada.

El «me oíste ya gritar...» referido al Rengo que quedó a la expectativa en el canto XXIX indica perceptiblemente el dominio apuntado de Ercilla sobre sus personajes, interviniendo como creador y amigo. Es un dominio que, en su autoridad de autor, le permitirá, a veces, la ironía, como en esta recién citada octava, donde la ironía juega en ese papel de superioridad de poeta que había desplegado Ariosto en su poema y siguiendo el canon de Ferrara.

Elogiando a Ercilla en *La Araucana* había proclamado Vicente Espinel que «calla sus hechos, los ajenos canta». Es decir, que Ercilla, como soldado, tenía hechos propios para construir un héroe. Indudablemente, en *La Araucana* no hay ningún héroe español que interprete biográficamente a Ercilla, ni siquiera en el valor con el que Ariosto se ofrecía en su «caro compagno» Orlando. En relación con el yo y la mitificación señalados atrás, lo que realiza Ercilla es desplazarse a la compañía de *sus* araucanos. Es algo que se corresponde, en su darse, al cambio del héroe individual o único del *Innamorato* al canto de la colectividad de *La Araucana*. Y en este darse se entrega Ercilla, lógicamente, mediante mitificaciones que desplazan su sueño caballeresco a la acción araucana como en la célebre prueba del tronco y elección de Caupolicán o en la batalla desastrosa para Tucapel que levanta la fama estratégica de Lautaro o los discursos que sitúa en boca de los jefes araucanos, como Cervantes los colocará en boca de don Quijote. Es evidente así que, junto a sus sueños, Ercilla traslada también a sus araucanos su mundo literario, fundamentalmente animado en Virgilio, Lucano y Ariosto, con la colectividad de *Os Lusiadas*. Es evidente porque también (es Renacimiento) la literatura asimilada es vida y experiencia propia, y así no extraña que, con la vida de Ercilla, pudiera equipararse a Lautaro con Héctor, a Tucapel con Ayax o a Colocolo con Néstor, dentro de una homologación homérica.

ANÁLISIS

ANALISIS

La primera estrofa de la canción I de Garcilaso

La estrofa inicial de la canción I garcilasiana, que ante-
cede cronológica y secuencialmente a gran parte de los sonetos, es un elocuente ejemplo del petrarquismo y personalidad de Garcilaso, acomodando a su individualidad poética
una herencia cultural que transforma. Dice:

> Si a la región desierta, inhabitable
> por el hervor del sol demasiado
> y sequedad d'aquella arena ardiente,
> o a la que por el yelo congelado
> y rigurosa nieve es intractable,
> del todo inabitada de la gente,
>   por algún accidente
> o caso de fortuna desastrada
>   me fuéssedes llevada,
> y supiesse que allá vuestra dureza
>   estava en su crüeza,
> allá os yria a buscar como perdido
> hasta morir a vuestros pies tendido.

Al Brocense le era fácil señalar inmediatamente «que
esta canción es imitación de Horacio en la Oda 22, libro I,
y Petrarca, soneto 114», añadiendo que «lo mismo dixo Tan-
sillo», etc. Pero existen muy significativas diferencias dentro
de la evidencia textual de que Garcilaso sigue a Horacio y

a Petrarca en una antítesis geográfica de larga presencia clásica.

En primer lugar, esta canción creo que fue escrita poco después de la boda de Isabel Freyre, es decir, cuando la amada de Garcilaso, perteneciendo a don Antonio de Fonseca, podía ser conducida allá donde el marido la llevara. En segundo lugar, esta primera estrofa de canción, como anotara el Brocense, contiene elementos que Garcilaso recuperará en la «Elegía a Boscán». Con ello apunta al carácter personal de la más viva poesía de Garcilaso y a una recurrencia que, leyendo su poesía como cancionero, nos permite advertir la coherencia de un progreso narrativo (como sentimiento, historia) y un progreso poético (como saber), que culminan en los elementos y armonía de la égloga III, donde el ir garcilasiano alcanza la perennidad de la creación mítica.

Lo primero que se advierte en la estrofa de Garcilaso es la total ausencia del «pome», «pommi» o «ponme» tan comúnmente seguido en los ejemplos vistos. Esta ausencia se justifica, con alto significado, cuando llegamos al verso nueve: «me fuéssedes llevada». En todos los casos citados anteriormente, los poetas, como tales o personajes, eran los desplazados, quienes podían ser puestos en este o aquel lugar. En la canción del poeta toledano es la amada quien puede ser llevada, puesta en los extremos de «la región desierta» o de la «rigurosa nieve». Así, frente a los casos pasivos citados, a la resistencia pasiva que ofrecen, aquí, en Garcilaso, aparecerá en el poeta la acción, la actividad de ir. Efectivamente, escribe: «allá os yría a buscar como perdido».

Con lo que tenemos, reforzado en esa acción, el pleno conocimiento del receptor inmediato de la canción: *os yría*. Años más tarde, desterrado en el Danubio, Garcilaso sentirá la ausencia de Isabel en el soneto «Un rato se levanta mi esperanza», y con la misma firmeza, con la misma seguridad, cerrará el soneto:

muerte, prisión no pueden, ni embaraços,
quitarme de *yr a veros* como quiera...

Junto a la personal recurrencia (que hace incongruente editar antes al soneto que a la canción), nos encontramos esa dirección unívoca del mensaje poético de Garcilaso, y que no se perderá tras la muerte de Isabel. Frente a la oración a la Virgen, que en consonancia con el soneto-prólogo, cierra el *Canzoniere* de Petrarca, Garcilaso cierra su poesía, en cuanto cancionero, con la égloga III, cuyo real receptor («la voz a ti debida») sigue siendo Isabel Freyre. El *os iyría,* pues, de esta estrofa de Garcilaso, de manera opuesta al polisémico *ponme* de los otros poetas, nos marca clara y distintivamente que el poeta se dirige directamente a la amada *(os)* y que esa dirección es anuncio *(yría)* de una acción personal llena de firmeza que configurará progresivamente su cancionero hasta la automitificación.

Recordemos ahora, nuevamente, que un posible origen del soneto lo hace descender de la canción y que Petrarca convirtió, fijó en soneto, las dos finales estrofas de una oda de Horacio. Impulsado por ese *os yría* que personaliza su canción, Garcilaso invierte el proceso, regresa al origen del soneto: a la canción. La estrofa primera, como en tantas ocasiones, expresa esa suma de saber más sentimiento que individualiza la poesía de Garcilaso en un orden petrarquista. Está el saber en su conocimiento de las composiciones de Horacio y Petrarca, con quienes se ayunta como hombre renacentista, y está su individual, personal sentimiento por Isabel Freyre, que lo distancia con su actualidad concreta del acronismo clásico. Y es este sentimiento el que le mueve a prolongarse en canción, a extenderse más allá de una estrofa donde la fidelidad clásica podía ocultar su individual mensaje. Y más abiertamente se dirige ya a *su* dama en la estrofa segunda:

Vuestra sobervia y condición esquiva...

Tras la vinculación con Horacio y Petrarca de la estrofa I, la siguiente estrofa es un regreso al conceptismo cancioneril, posiblemente a una Epístola de Torres Naharro, como señaló Lapesa. El sentimiento de Garcilaso es el mismo, pero el saber cambia de una estrofa a otra y es demasiado el peso de Horacio y Petrarca para no distinguir, en el joven Garcilaso, su proximidad clásica y la cancioneril.

También señala esta diferenciación entre estrofas que no es congruente, por estilo, situar esta canción tras el *corpus* de sonetos, en los que ya Garcilaso adquirió una espléndida y armónica perfección. También es quebrar, junto al sentido de cancionero, el curso del ir haciéndose progresivamente poeta, expresión viva en palabra, en contacto consigo mismo.

No obstante esta diferenciación entre ambas estrofas de Garcilaso, un mismo sentimiento las comparte y se extiende hasta el envío. Posiblemente Lálage sea en la oda de Horacio la Poesía, o mejor, el Poema, en conexión con su famoso verso «Exegi monumentum aere perennius». Posiblemente Lope de Vega tradujera fielmente la culta soberbia de Petrarca mediante el endecasílabo «Seré cual fui sin punto dividirme», porque ambos tenían la seguridad de estar inmortalizándose mediante su actitud poética. Entiendo así que los dos poetas, el venusino y el toscano, están dirigiéndose a sí mismo (el poema y la *laurea*) sendas composiciones, con una seguridad vocacional y un cultivo literario que explica la fortuna que tuvieron. En el caso de Garcilaso, la dirección, unívoca, es a la amada, y en un tiempo narrativo, de historia, en el que Isabel podría ser alejada del poeta. En un tiempo más avanzado, cuando sufre el destierro en una isla del Danubio, Garcilaso podría haber empleado, dirigido al Emperador, el *ponme* tan seguido, desde Boscán, en la imitación del soneto petrarquesco. Podría haber escrito que lo pusiera donde lo pusiera el emperador, seguiría fiel a la amada. Pero Garcilaso escribe el tan vital soneto «Un rato se levanta mi esperanza», alejado totalmente de *ponmi* petrarquesco, y donde los tercetos del toledano son una espléndida muestra de su voluntad de acción, de su movimiento, que culmina con su desafío de que nada, ni muerte ni prisión, podrán privarle de ir a la amada: «de ir a veros como quisiera». Distinto a Horacio y a Petrarca (y a sus imitadores), y al igual que en la canción I, Garcilaso señala en el soneto su ir (acción) y su dirigirse directamente a la amada, ofreciendo de este modo una expresiva muestra de la *narratividad* de su lírica en cuanto cancionero.

La estrofa de canción citada, con su ir a Horacio estimulado por Petrarca, indica la percepción renacentista de Garcilaso, asimilando la predicación de ir (como *satura,* mezcla) a unos autores que están en la formación del poeta-modelo. Indica igualmente la estrofa, la perfecta situación garcilasiana en el concepto de imitación renacentista, que el Brocense ejemplariza con los ojos, «cuyo nombre bien pudiera tornar clara la noche tenebrosa», que procediendo de Bembo son tan del poeta toledano que éste lo hará, como el ir, sintagma recurrente. Pero junto a ello, la estrofa señala ejemplarmente el desprendimiento de Garcilaso de aquello que pueda condicionar *su* sentimiento, *su* historia, al igual que se desprende de la sextina provenzal y del madrigal que estaban en el *Canzoniere* de Petrarca, y se acoge a la narratividad lírica de *L'Arcadia* de Sannazaro. Es una admirable estrofa donde el tópico antitético de las regiones extremas *sirve* al yo del poeta con la personalización de ese «me fuéssedes llevada», donde se expresa el ir (acción) del poeta y su dirigirse abiertamente a la dama, en cuanto manifestación subjetiva que irá progresando secuencialmente a través de la narración lírica. Garcilaso supera ya aquí lo que era teoría de amor en sonetos anteriores (el saber que precedía al amor) para abiertamente existir en su expresión poética.

LA CRÍTICA

LA CRITICA

La poesía española del siglo XVI plantea, en primer lugar, una serie de problemas textuales, tanto en lo que atañe a ediciones del texto como a las atribuciones. A estos problemas no escapan ni siquiera autores de la entidad de un fray Luis de León o de un Fernando de Herrera, tan escrupuloso éste con sus ediciones. En el mismo fray Luis, junto a poesías de atribución indudable, existen otras que caminan entre lo probable y lo posible.

El problema de atribuciones se complica, en parte, cuando vamos a poetas como Almeida y Montemayor o Figueroa y Laynez, porque la lectura de cartapacios ofrece autorías distintas sobre las que se puede opinar diversamente. Con la particularidad de que este siglo ofrece el caso único de un espléndido poeta, Francisco de la Torre, que es una misteriosa sombra cuyo cuerpo biográfico se nos escapa casi totalmente.

Con estos problemas de atribución se suman problemas de edición. Las *Varias poesías* de Hernando de Acuña son, por ejemplo, un caso de caótico desorden editorial que dificulta el seguimiento de su lectura. Salvo casos como los de Boscán o Lomas Cantoral (y éste algo estropeado en la edición), la poesía de este período es, en gran medida, una poesía cuyo orden editorial no responde a la voluntad poética del autor, sino a viudas o amigos que no se cuidaron mucho de meditar un orden. Y el hecho tiene importancia porque en el cauce petrarquista, y desde Boscán, existe en muchos casos una atención por la narratividad lírica, porque la sucesión de poemas respondiera a un progreso de historia o narración.

Por otro lado, la poesía, por su recepción humanista, está vinculada a movimientos culturales de la extensión del platonismo, cuyo significado es muy amplio en el ejercicio poético, y que varía bastante si lo recogemos de tratados de amor como los de León Hebreo o Mario Equícola, o si lo recogemos del platonismo medieval del Pseudo Dionisio Aeropagita, introducido realmente por la *Versio Dionyssii* realizada hacia el año 860 por Juan Scoto. Algo análogo sucede con el petrarquismo, para el que tanto explica Pietro Bembo, y que es muy distinto en un Garcilaso, un Figueroa o un Herrera, aunque coincidan en la herencia de una lengua poética. No sólo humanistas como Filelfo aclaran trayectorias petrarquistas, sino que en médicos como Bernardino Montaña, al escribir del «espíritu genitivo», encontramos aquellos «espíritus subtiles» que de Cavalcanti pasan a la *teoría* poética garcilasiana.

Lo nuevamente apuntado (en época donde un Baltasar de Céspedes señala que «ningún poeta puede ser bueno, sin ser gran humanista») explica un poco la complejidad de lectura de algunos de nuestros poetas y la necesidad de asistirlos con textos del mundo clásico, bíblico y humanista. Resulta obvio que por mi propia limitación y la limitación de espacio de estas páginas, no habré conseguido sino una aproximación a la poesía del siglo XVI. Para subsanar lagunas y ampliar interpretaciones con mejor especialización, se ofrece la bibliografía de esta poesía. Con una advertencia: existen muy excelentes artículos de (vía de ejemplo) Alberto Blecua, M. Morreale, Rafael Lapesa, José Lara, Fernando Lázaro o Ricardo Senabre, que no aparecen recogidos, pese a mi deuda, porque la norma editorial pide *libros* solamente. Excusado decir que muchas ediciones de textos, como las de Cristóbal Cuevas a Herrera o José Lara a Aldana, contienen introducciones de una amplitud y precisión notables.

BIBLIOGRAFÍA

BIBLIOGRAFÍA

TEXTOS

Acuña, Hernando de (1981), *Poesías,* Ed. de Lorenzo Rubio González, Valladolid.

—— (1982), *Varias poesías,* Ed. de Luis F. Díaz Larios, Madrid, Cátedra.

Alcázar, Baltasar de (1910), *Poesías,* Ed. de Rodríguez Marín, Madrid, Real Academia.

Aldana, Francisco de (1966), *Poesías,* Ed. de Elías L. Rivers, Madrid, Espasa-Calpe.

—— (1985), *Poesías castellanas completas,* Ed. de José Lara Garrido, Madrid, Cátedra.

Barahona de Soto, Luis (1981), *Las lágrimas de Angélica,* Ed. de José Lara Garrido, Madrid, Cátedra.

Boscán, Juan (1957), *Obras poéticas,* Ed. de Martín de Riquer, Barcelona, Universidad.

Cancionero de Romances (Amberes, 1550) (1967), Ed. de Antonio Rodríguez-Moñino, Madrid, Castalia.

Cancionero de Uppsala (1981), Ed. de Jesús Riosalido, Madrid, Instituto Hispano-Árabe.

Cartapacio poético del Colegio de Cuenca (1987), Ed. de Joaquín Forradellas Figueras, Diputación de Salamanca.

Castillejo, Cristóbal de (1926), *Obras,* Ed. de J. Domínguez Bordona, Madrid, La Lectura.

—— (1986), *Diálogo de mujeres,* Ed. de Rogelio Reyes, Madrid, Castalia.

Cetina, Gutierre de (1981), *Sonetos y madrigales completos,* Ed. de Begoña López Bueno, Madrid, Cátedra.

—— (1985), *Obras,* Ed. de Joaquín Hazañas y la Rua, Sevilla.

CÓRDOBA, Sebastián de (1971), *Garcilaso a lo divino,* Ed. de Glen R. Gale, Madrid, Castalia.

CRUZ, San Juan de la (1979), *Cántico espiritual, Poesías,* Ed. de Cristóbal Cuevas, Madrid, Alhambra.

—— (1981), *Cántico espiritual,* Ed. de Eulogio Pacho, Madrid, Fundación Universitaria.

—— (1984), *Poesía,* Ed. de Domingo Ynduráin, Madrid, Cátedra.

CUEVA, Juan de la (1984), *Fábulas mitológicas y épica burlesca,* Ed. de José Cebrián García, Madrid, Editora Nacional.

ERCILLA, Alonso de (1979), *La Araucana,* Ed. de Marcos A. Moránigo e Isaías Lerner, Madrid, Cátedra.

FIGUEROA, Francisco de (1943), *Poesías,* Ed. de González Palencia, Madrid, Bibliófilos Españoles.

—— (1988), *Poesías,* Ed. de Mercedes López Suárez, Madrid, Cátedra.

Flores de baria poesía (1980), Ed. de Margarita Peña, Universidad Autónoma de México.

Garcilaso de la Vega y sus comentaristas (1972), Ed. de Antonio Gallego Morell, Madrid, Gredos.

GARCILASO DE LA VEGA (1974), *Obras completas con comentario,* Ed. de Elías L. Rivers, Madrid, Castalia.

—— (1988), *Cancionero,* Ed. de Antonio Prieto, Barcelona, Ediciones B.

HEBREO, León (1986), *Diálogos de amor,* Estudio de José María Reyes Cano y trad. de Carlos Mazo, Barcelona, PPU.

HERRERA, Fernando de (1975), *Obra poética,* Ed. crítica de José Manuel Blecua, Madrid, Real Academita.

—— (1985), *Poesía original castellana completa,* Ed. de Cristóbal Cuevas, Madrid, Cátedra.

—— (1982), *Poesía,* Ed. de María Teresa Ruestes, Barcelona, Planeta.

HURTADO DE MENDOZA, Diego (1877), *Obras poéticas,* Ed. de William I. Knapp, Madrid.

LAYNEZ, Pedro (1951), *Obras,* Ed. de Joaquín de Entrambasaguas, Madrid, CSIC.

LEÓN, fray Luis de (1931), *Obras poéticas,* Ed. del P. José Llobera, Cuenca.

—— (1982), *Poesías,* Ed. de Oreste Macrí, Barcelona, Editorial Crítica.

LÓPEZ MALDONADO, *Cancionero* (1932), facsímil, Madrid, Libros Antiguos.

MONTEMAYOR, Jorge de (1932), *El cancionero*, Ed. de González Palencia, Madrid, Bibliófilos Españoles.

MOSQUERA DE FIGUEROA, Cristóbal (1955), *Poesías inéditas*, Ed. de Guillermo Díaz-Plaja, Madrid, Real Academia.

PACHECO, Francisco (1985), *Libro de Descripción de Verdaderos Retratos*, Ed. de Pedro M. Piñero y Rogelio Reyes, Sevilla, Diputación Provincial.

PADILLA, Pedro de (1880), *Romancero*, Ed. de Ramírez de Arellano, Madrid, Bibliófilos Españoles.

RAMÍREZ PAGÁN, Diego (1950), *Floresta de varia poesía*, Ed. de Antonio Pérez Gómez, Barcelona, Selecciones Bibliófilas.

TAMARIZ, Licenciado (1956), *Novelas y cuentos en verso*, Ed. de A. Rodríguez-Moñino, Valencia.

TORRE, Francisco de la (1984), *Poesía completa*, Ed. de María Luisa Cerrón Puga, Madrid, Cátedra.

VERZOSA, Juan (1945), *Epístolas*, Ed. y trad. de José López de Toro, Madrid, CSIC.

ESTUDIOS

ALONSO, Dámaso (1972 y 1974), tomos II y III de *Obras Completas*, Madrid, Gredos.

ALONSO CORTÉS, Narciso (1913), *Don Hernando de Acuña*, Valladolid, Biblioteca Studium.

ARMISÉN, Antonio (1982), *Estudios sobre la lengua poética de Boscán*, Zaragoza, Pórtico.

BELL, Aubrey F. G. (s. a.), *Luis de León*, Barcelona, Araluce.

BLANCO SÁNCHEZ, Antonio (1982), *Entre Fray Luis y Quevedo. En busca de Francisco de la Torre*, Salamanca.

BLECUA, Alberto (1970), *En el texto de Garcilaso*, Madrid, Ínsula.

CEBRIÁN GARCÍA, Juan (1982), *La fábula de Marte y Venus de Juan de la Cueva*, Universidad de Sevilla.

CERRÓN PUGA, María Luisa (1984), *El poeta perdido: Aproximación a Francisco de la Torre*, Pisa, Giardini.

COSSÍO, José María de (1952), *Fábulas mitológicas en España*, Madrid, Espasa-Calpe.

CREEL, Bryant L. (1981), *The Religious Poetry of Jorge de Montemayor*, Londres, Tamesis Books.

FERGUSON, Willian (1980), *La versificación imitativa en Herrera*, Londres, Tamesis Books.

FERNÁNDEZ LEBORANS, María Jesús (1978), *Luz y oscuridad en la mística española*, Madrid, Planeta.

FUCILLA, Joseph G. (1960), *Estudios sobre el petrarquismo en España*, Madrid, CSIC.

GALLEGO MORELL, Antonio (1970), *Poesía española del primer Siglo de Oro*, Madrid, Ínsula.

GETINO, Fr. Luis G. Alonso (1929), *Lírica salmantina del siglo XVI*, Salamanca.

GONZÁLEZ PALENCIA, A., y MELE, Eugenio (1942), *Vida y obras de Hurtado de Mendoza*, Madrid, Instituto de Valencia de Don Juan.

LAPESA, Rafael (1985), *La trayectoria poética de Garcilaso*, Madrid, Istmo.

LARA GARRIDO, José (1980), *Poética manierista y texto plural*, Universidad de Málaga.

LÁZARO CARRETER, Fernando (1976), *Estudios de poética*, Madrid, Taurus.

LÓPEZ BUENO, Begoña (1978), *Gutierre de Cetina*, Sevilla, Diputación Provincial.

MONTERO, Juan (1987), *La controversia sobre las Anotaciones herrerianas*, Sevilla, Ayuntamiento.

NIETO, José C. (1982), *En torno a San Juan de la Cruz*, Madrid, Fondo de Cultura.

OROZCO, Emilio (1959), *Poesía y mística*, Madrid, Guadarrama.

PERIÑÁN, Blanca (1979), *Poeta Ludens*, Pisa, Giardini.

PRIETO, Antonio (1984 y 1987), *La poesía del siglo XVI*, 2 vols., Madrid, Cátedra.

REYES CANO, José María (1980), *La poesía lírica de Juan de la Cueva*, Sevilla, Diputación Provincial.

RIVERS, Elías L. (1981), *La poesía de Garcilaso*, Barcelona, Ariel.

RODRÍGUEZ MARÍN, Francisco (1903), *Luis Barahona de Soto*, Madrid, Real Academia.

RODRÍGUEZ-MOÑINO, Antonio (1968), *Poesía y cancioneros*, Madrid.

——— (1970), *Diccionario de pliegos sueltos poéticos*, Madrid, Castalia.

—— (1976), *La transmisión de la poesía española en los Siglos de Oro,* Barcelona, Ariel.

RUIZ SALVAVOR, Federico (1968), *Introducción a San Juan de la Cruz,* Madrid, BAC.

RUIZ SILVA, Carlos (1981), *Estudios sobre Francisco de Aldana,* Universidad de Valladolid.

SÁNCHEZ ROMERALO, Antonio (1979), *El villancico,* Madrid, Gredos.

SENABRE, Ricardo (1978), *Tres estudios sobre fray Luis de León,* Universidad de Salamanca.

SORIA OLMEDO, Andrés (1984), *Los Diálogos d'amore de León Hebreo,* Universidad de Granada.

VARIOS AUTORES (1981), *Fray Luis de León,* Salamanca, Academia Renacentista.

—— (1986), *Garcilaso,* Salamanca, Academia Renacentista.

VEGA, Ángel Custodio (1975), *La poesía de Santa Teresa,* Madrid, BAC.

VRANICH, S. B. (1981), *Ensayos sevillanos del Siglo de Oro,* Valencia, Albatros.

ESTE LIBRO SE TERMINO DE IMPRIMIR EN LOS
TALLERES GRAFICOS DE UNIGRAF, S. A., EN
MOSTOLES (MADRID), EN EL MES DE
JUNIO DE 1988

708

PORTICO LIBRERIAS
P.O. BOX 503
50080 ZARAGOZA
ESPAÑA